52
MENSAJES
BÍBLICOS

Preston A. Taylor

EDITORIAL MUNDO HISPANO

EDITORIAL MUNDO HISPANO
7000 Alabama Street, El Paso, TX 79904, EE. UU. de A.
www.editorialmundohispano.org

Nuestra pasión: Comunicar el mensaje de Jesucristo y facilitar la formación de discípulos por medios impresos y electrónicos.

Traductor: Rubén O. Zorzoli

Primera edición: 1991
Décimatercera edición: 2019

Clasificación Decimal Dewey: 252

Temas: 1. Sermones
2. Predicación

ISBN: 978-0-311-43043-7
EMH Núm. 43043

1 M 5 19

Impreso en Colombia
Printed in Colombia

PRESENTACION

Este libro está dedicado a
Rex y Minerva McCelvey y su familia,
y a Janelle C. Boyce,
cuya fe resplandece
en medio de las pruebas
y las dificultades

52 MENSAJES BIBLICOS es un libro distinto y práctico. Presenta, como su nombre lo indica, mensajes con un contenido puramente bíblico. El pastor Preston A. Taylor, con muchos años de experiencia pastoral y como expositor de la Palabra, aborda temas de práctico interés para el oyente que quiere edificar su vida cristiana.

Recomendamos este libro para todo predicador, pastor, obrero o estudiante bíblico que quiere tener una herramienta práctica de consulta y motivación. Como bien lo expresa el pastor Taylor, se espera que cada mensaje llegue al corazón del pastor y que lo comunique a sus oyentes de acuerdo a la circunstancia y lugar donde cada uno vive.

Los sermones presentados en este libro han sido usados a lo largo del ministerio de predicación del pastor Taylor tanto en varios países de América del Sur como en Estados Unidos de América. Cada mensaje contiene una base bíblica sobre la que descansa todo el bosquejo. Como se podrá observar, los mensajes comienzan usando textos del Antiguo Testamento y terminan en el Nuevo Testamento.

Si el pastor, predicador o expositor bíblico quiere, bien puede predicar durante todo el año usando estos mensajes. Notará el lector que los mensajes contienen muy pocas ilustraciones. Dejamos que el predicador busque y decida usar las ilustraciones adecuadas para cada situación particular. Así mismo, sugerimos, si fuere necesario, buscar otros pasajes bíblicos que amplíen o complementen las ideas del mensaje original.

Los mensajes tienen diversos énfasis, por ejemplo: mensajes para comenzar el año, para dar aliento y ánimo, para consolar, para el día de la madre, para la familia, para Semana Santa, para fiestas patrias, para cultos fúnebres, para jóvenes, para Navidad, acerca de la segunda venida de Cristo, el cielo, el infierno, la muerte, evangelísticos y acerca de la iglesia. Es decir, un libro para mantener una serie de predicaciones en forma equilibrada y completa para todo el año.

David Fajardo Garcés
Editor

CONTENIDO

PREFACIO

Los sermones en este libro se han escrito teniendo en mente al pastor. Para mí sería muy grato que cualquier predicador pudiera encontrar ayuda en estas páginas.

Este libro de sermones es una selección amplia de mi predicación. Yo creo que los "mensajes misceláneos" pueden ser tan útiles como una serie de sermones sobre un libro de la Biblia. Me gocé escribiendo sermones de *Exodo*, *Filipenses* y *1 Pedro* en mis otros libros. Pero he tenido tanto gozo (¡y agonía!) al preparar este libro como con los tres anteriores.

El pastor que tenga una copia de este escrito puede usarlo como quiera. Si usted puede predicar uno de estos sermones, ¡hágalo! Si estas páginas le hablan al corazón, permita que Dios lo use y las use para hablar a otros. No tenemos derechos de autor sobre la Palabra de Dios. En consecuencia, lo que oímos o leemos de otro, debemos sentirnos libres de compartirlo con liberalidad con nuestros oyentes, para ayudar a esparcir el mensaje del Libro.

El enfoque de este escrito es simple, no técnico. Yo creo que la mayoría de la gente quiere escuchar una predicación directa. Mi esperanza es que estos sermones sean sugestivos, estimulantes y "predicables". Debido al espacio limitado, algunos de los capítulos han sido abreviados, y a otros les faltan detalles en la exposición, ilustración o aplicación. Unos pocos capítulos, sin embargo, pueden ser suficientes para dos o tres sermones. Un mensaje de veinticinco minutos no le dará tiempo al director de música o a un maestro de la escuela dominical para irse a dormir como lo hace uno de cuarenta minutos. ¡Prefiero la ruta más corta!

En este escrito se pueden notar una variedad de temas. Se incluyen ocasiones especiales como funerales, Día de acción de gracias, Navidad, Pascua, Día de la madre y otras. Se consideran mensajes sobre evangelización, la iglesia, el cielo, el arrepentimiento, la oración, la alabanza y los temas de predicación domingo a domingo. La idea es brindar al pastor un material de recurso para las etapas de "sequía" que todos nosotros experimentamos algunas veces.

Usted y yo, como predicadores, queremos conocer las Escrituras y enseñarlas persuasivamente. Queremos propagar las buenas nuevas de Cristo. Ayudémonos unos a otros a hacer el trabajo que Dios nos ha llamado a hacer.

Mi oración es que Dios le equipará, animará y usará efectivamente en el ministerio del evangelio de Jesucristo.

Por su gracia,
Preston A. Taylor

DATOS PARA EL ARCHIVO:

Fecha:_____

Ocasión:_____

Lugar:_____

1

DIOS ANIMA A SU PUEBLO

Solamente esfuérzate y sé muy valiente — Josué 1:7.

Cierta vez, cuando David Livingstone era joven, tuvo una invitación para predicar en una iglesia en Glasgow, Escocia. Apenas había comenzado a predicar cuando su mente quedó "en blanco". Entonces él se sentó; el joven predicador tenía su rostro enrojecido por la vergüenza. Ese día en la congregación estaba Roberto Moffatt, un misionero bien conocido, quien le dijo al joven predicador: "Está bien, David. Si no puedes ser un predicador, puede que Dios quiera que seas un doctor." Aquellas palabras quedaron grabadas en la mente de Livingstone. El siguió adelante para llegar a ser un médico misionero, predicador y explorador de fama mundial. Las palabras de ánimo elevaron a David Livingstone de la condenación de la derrota a la gloria de la esperanza.

Todos nosotros apreciamos a quienes nos animan. Dios animó a Josué cuando éste reemplazó a Moisés como el líder de Israel. En los primeros versículos de Josué encontramos tres veces la palabra "esfuérzate". Dios da ánimo a su pueblo. ¿Por qué lo hace?

I. DIOS NOS ANIMA PORQUE LO NECESITAMOS

1. Necesitamos Animo Porque Nuestro Trabajo Es Duro. Damos siempre la bienvenida a las palabras que nos alientan en los malos momentos. Nadie está exento de esta necesidad. Cuando seguimos las pisadas de Josué nos damos cuenta de que él no tuvo un camino fácil. Leemos acerca de Josué que él y todo Israel vagaron en los desiertos entre Egipto y la tierra prometida. Por cuarenta largos años hicieron un viaje en círculos, en un callejón sin salida, lleno

9

de trabajo duro y difícil. Los ganaderos y agricultores saben que su trabajo es duro. Las amas de casa, los estudiantes, los soldadores, los pintores, los mecánicos, los ingenieros, los maestros, los médicos y las enfermeras, todos han tenido días dolorosos. Dado que la rutina diaria en la vida no es fácil, Dios dice: "Esfuérzate."

2. Necesitamos Animo para Alcanzar Nuestras Metas. Dios nos anima porque no tenemos un éxito inmediato. Tenemos demoras en alcanzar nuestras metas. Así como Josué tuvo retraso tras retraso, nosotros también podemos no alcanzar nuestras metas cuando esperamos hacerlo. La Biblia registra el relato del envío de los doce espías. Debido a que la mayoría dijo que la tierra delante de ellos sería imposible de conquistar, Dios los puso en la ruta de vagar hasta que murieron todos los incrédulos. La mayoría que protestó formó una barrera que impidió que los hebreos alcanzaran la tierra prometida por cuarenta años.

A veces las barreras se levantan entre nosotros y nuestras metas y sueños. A menudo podemos ser tentados a abandonar lo que tenemos que hacer como parte de nuestras tareas diarias. A veces tenemos "riesgos" que nos impiden lograr nuestras metas. Dios viene para animarnos.

3. Necesitamos Animo para Superar Nuestros Problemas. Josué estaba presente cuando Coré y sus 250 hombres se rebelaron contra Moisés. El vio la lucha que continuó a lo largo de los años en el campamento del pueblo con el cual Dios había hecho un pacto. Necesitamos ánimo porque nosotros tenemos nuestros problemas de "Moisés y Coré". Pero Dios es más grande que nuestras dificultades, y él nos anima en circunstancias como estas.

4. Necesitamos Animo Cuando Perdemos a Nuestros Amigos. Josué sabía que Dios había enterrado a Moisés en lo alto de una montaña. Había visto morir a María, a Aarón y a muchos miles. Moisés había servido como el amigo, consejero y modelo para Josué. ¡Y ahora él se había ido! Josué debe haberse sentido muy solo.

Nos sentimos desanimados cuando los amigos "nos dejan". O la tragedia golpea en otra manera. Llega la enfermedad. Algunos aun pueden abandonarnos. Y sentimos el dolor de esa soledad. Dios llega para decir una palabra fuerte de ánimo como lo hizo con Josué.

II. DIOS NOS ANIMA EN MANERAS ESPECIFICAS

El Señor actúa y nos favorece en forma especial. ¿Cuáles son algunas maneras específicas por medio de las cuales él nos anima?

1. Dios Nos Indica el Camino por el Que Debemos Andar. El le dijo a Josué que cruzara el río Jordán. Ese mensaje puede no ser el que algunos quieran oír. Nos recuerda de los peligros, dificultades y guerras que hay por delante. Josué sabía que delante de él había gigantes, ciudades amuralladas y una tierra áspera y escabrosa. Pero Dios dijo que su pueblo siguiera. No había barcos para el río. No había puentes. ¿Cómo llegarían a la tierra y la conquistarían? Dios tiene una manera. Hay un canto de *Oscar C. Eliason* que dice:

¿Hay ríos que piensas que son imposibles de cruzar? ¿Hay montañas que no puedes atravesar? Dios se especializa en las cosas que son imposibles El hace aquello que otros no pueden hacer.

Tenemos conquistas que nos esperan. Hay que ganar a los obreros de las fábricas. Hay que ayudar a los miembros de las familias. Debemos alcanzar a los estudiantes para Cristo. El mundo es nuestro campo. Jesús dice: *"Vete a tu casa, a los tuyos, y cuéntales cuán grandes cosas el Señor ha hecho contigo"* (Marcos 5:19).

2. Dios Promete Ser Nuestra Defensa. El dijo a Josué: "Nadie te podrá hacer frente" (Josué 1:5). Ningún enemigo podría pisotearle. Josué llevó a cabo treinta y dos campañas militares brillantes. Y él y el Señor las ganaron todas.

3. Dios Está Siempre Presente. Dios dijo a Josué: "Como estuve con Moisés, estaré contigo" (Josué 1:5). Lea la Biblia con la presencia y la protección de Dios en mente y se encontrará con una sorpresa tras otra.

El músico y compositor Dan Sampson dice que compuso las palabras de su canción *I Wont't Let You Go* (No te dejaré ir) un lunes por la noche. La esposa de Dan le compartió el testimonio de una mujer que había sufrido años de desesperación y ansiedad. La mujer dijo: "Día tras día yo quería quedarme en la cama y no levantarme y enfrentar la vida... Oraba una y otra vez:'Dios, tú no vas a dejarme ir, ¿no es cierto?'" Luego ella dijo que la voz de Dios dentro de ella diría: "Yo no te dejaré ir... yo no te dejaré ir." Dios guardó su palabra. Hoy aquella mujer es una cristiana radiante y feliz, y una mujer de negocios de mucho éxito en Houston. Y es así. Dios está con nosotros. Somos muy animados y fortalecidos por su presencia.

4. Dios Nos Anima Dándonos Su Palabra. En Josué 1:8 leemos que la Palabra de Dios debe estar en nuestra boca de modo que podamos hablarla; en la mente, para meditarla. Día y noche la Palabra de Dios ha de ser parte de nuestra vida. Podemos leer el libro de Salmos, algunos de los grandes capítulos de Isaías como 40, 53, 55 y 64, y algunos de los escritos de Pablo, o cualquier otra porción de la Biblia, y tendremos la vida tremendamente animada. Alguien expresó sus sentimientos en cuanto a la Biblia en esta manera:

La Palabra de Dios es como una mina profunda, profunda, Y joyas preciosas y raras, Están escondidas en sus profundidades poderosas, Para cada uno que sea un buscador.

El pintor Holman Hunt pintó un cuadro de Cristo golpeando a una puerta. Se llama "Cristo, luz del mundo". Un niñito preguntó a su papá por qué nadie respondía al llamado. Luego, él respondió a su propia pregunta: "¡Ah! Ya sé. Todos deben estar en el sótano y no pueden oír a Jesús llamando." Dios quiere que oigamos a Jesús. El quiere darnos ánimo y ayuda para cada necesidad de la vida. Todo lo que necesitamos hacer es dejarle entrar.

DATOS PARA EL ARCHIVO:

Fecha:_____

Ocasión:_____

Lugar:_____

2
CONQUISTEMOS NUESTROS MONTES

Dame, pues, ahora este monte — Josué 14:12.

Dos hombres subieron a la cima del monte Everest por primera vez en la historia en 1953. Sharon Wood, de Seattle, Washington, se convirtió en la primera mujer en llegar a la cima de ese monte el 20 de mayo de 1986. El monte Everest, de las montañas Himalaya en Asia, se eleva a más de 9,000 metros. A los hombres les gusta tratar aquello que para otros es "imposible".

Luego de que los hebreos entraron en la tierra prometida, Caleb un día miró y vio un monte. Aquella tierra áspera salpicada de ciudades y en la cual habitaban gigantes, atemorizaba a otros. Sin embargo Caleb, de ochenta y cinco años, dijo: "¡Dame este monte!" Esa fue su herencia y vivió para ver ese territorio conquistado y habitado.

Todos tenemos montes o tierras espirituales que conquistar. Puede ser una sección de nuestra ciudad, de nuestra provincia o de nuestra nación. Pero como Caleb, necesitamos decir: "¡Danos nuestro monte!" Podemos conquistar un lugar para Cristo. Si lo hacemos, tengamos en mente dos cosas: una es que enfrentaremos problemas en la tarea. Segunda, debemos seguir un plan para hacerlo.

I. CUANDO COMENZAMOS UN TRABAJO PARA DIOS ENFRENTAREMOS PROBLEMAS

Caleb entendió las dificultades que estaban delante de él. Los "anaceos" o gigantes vivían en la zona que Dios había dicho que pertenecía a su pueblo. En

Josué 15:14 leemos que Anac, el jefe de los gigantes, tenía tres hijos que controlaban la tierra: Sesai, Ahimán y Talmai.

Nosotros enfrentamos "gigantes" que están delante de nosotros y amenazan a todo el que quiera hacer algo para Dios. Les podemos llamar Indiferencia, Ignorancia e Impureza. Son grandes, temibles y difíciles de conquistar. Consideremos cada uno de ellos.

1. El Gigante de la Indiferencia. Vive entre nosotros. Caleb había visto esa actitud de indiferencia en el tiempo de vagar por el desierto. Muchos israelitas querían "acampar" y no hacer nada a cada paso en el camino.

¡Gente inofensiva estos gigantes! Ellos pueden no matarnos, pero desaniman a aquellos que quieren hacer algo grande para Jesús. El gigante de la Indiferencia puede no decir una palabra en contra de la iglesia ni del mensaje. Pero este gigante simplemente no ha "entrado en juego".

El gigante de la Indiferencia es más cruel que lo que pensamos. Jeremías vio el problema en su tiempo. En Lamentaciones 1:12 escribió: "¿No os conmueve a cuantos pasáis por el camino? Mirad, y ved si hay dolor como mi dolor que me ha venido." Los muros de Jerusalén habían sido derribados y la gente pasaba con indiferencia, y no sentía nada del dolor que sentía Jeremías. Cuando Jesús estaba levantado sobre la cruz, leemos que algunos "sentados le guardaban allí" (Mateo 27:36). Ellos eran totalmente indiferentes a su agonía.

2. El Gigante de la Ignorancia. Vive entre nosotros. Los hijos de Anac no sabían nada en cuanto a Dios, Moisés, Josué y Caleb. Hay muchos hoy que saben poco o nada acerca de nuestro Dios.

Algunos ignoran el poder de Dios. ¡El es todopoderoso! El abrió el mar Rojo para que cruzaran los hebreos. El sustentó a su pueblo en el desierto por cuarenta años. El detuvo el flujo de las aguas del Jordán y dejó que los hebreos lo cruzaran. Dios quería obrar en sus vidas en la tierra prometida y darles la victoria. ¡La gente ignora lo que Dios puede hacer!

Algunos ignoran la misericordia de Dios. El Señor alcanza en amor a todos los que quieren dejarle ser el Dios de sus vidas. La familia de Caleb alcanzó la herencia de Dios por medio de su misericordia. Los cenezeos (Números 13:14; 34:9) eran edomitas. ¡Una raza extranjera! Pero la gente de "sangre pagana" se convirtió en "pura sangre" por medio de la misericordia de Dios.

3. El Gigante de la Impureza. Vive entre nosotros. ¡Aquí tenemos a uno difícil de derribar! La vileza y la corrupción del corazón humano son tremendas. Drogas, impureza personal, alcohol, pornografía. Gedeón peleó contra la impureza. Pablo peleó la batalla en Efeso. Cada generación debe echar a los gigantes de la Impureza, la Ignorancia y la Indiferencia.

II. CUANDO COMENZAMOS A TRABAJAR PARA DIOS HEMOS DE SEGUIR UN PLAN

No somos la clase de gente de "acierto o error". La obra de Dios es de acuerdo con un plan divino.

1. Debemos Tener Confianza en Dios. En Josué 14:12, Caleb dijo: "Quizá Jehová estará conmigo, y los echaré." Previamente, Caleb declaró:

"Jehová me ha hecho vivir. . . ochenta y cinco años" (Josué 14:10). El creyó en Dios. Recordemos el relato del envío de los doce espías a Canaán. Josué y Caleb regresaron diciendo: "¡Podemos tomarla, porque Dios está con nosotros!" El pueblo de Dios del siglo veinte debe creerlo también.

2. Debemos Tener Consagración de Vida. En este pasaje encontramos una y otra vez que se dice de Caleb que "había seguido totalmente a Jehová". Ese es un cumplido de alto nivel que viene del Señor. El desafío de Romanos 12:1, 2 es también uno de consagración. Necesitamos de aquellos que se consumen por Dios. El mundo podría ser "trastornado" (Hechos 17:6) para Dios si nuestro pueblo estuviera consagrado a él.

En Josué 14:11, Caleb dijo: "Todavía estoy tan fuerte como el día que Moisés me envió" (¡cuarenta años antes!). Una vida santa puede prolongar nuestros días para el servicio del reino. Se necesitan separación y santificación.

3. Debemos Tener Coraje. Cada uno que realiza una gran obra enfrenta peligros. Caleb sabía que había gigantes en su camino. Sin embargo, él no tembló delante de ellos. Un hombre y Dios significan victoria.

En la lápida del reformador John Knox, de Escocia, están estas palabras: "Aquí yace aquel que nunca temió la faz del hombre." Alguien dijo un día a Knox: "Todo el mundo está en tu contra." El respondió: "Entonces, yo estoy contra todo el mundo." Se dice que María, la reina de Escocia, ¡temía más a las oraciones de John Knox que a todos los ejércitos de Inglaterra!

4. Debemos Tener Cooperación. Caleb no conquistó sólo los montes de Hebrón. ¡El reclutó a otros! Lo mismo debe hacer el pastor, el maestro de la escuela dominical, y otros. Cuando visitan, predican, cantan, comparten testimonios, oran y dirigen la música, se producirá un impacto poderoso para Dios. ¡Cooperación!

No vamos solos, sino con el pueblo de Dios, para conquistar nuestro monte. ¿Cuáles son algunas de las maneras en que podemos hacer que otros nos ayuden a hacer hoy nuestro trabajo? En nuestra vida familiar, en la iglesia, en el trabajo, en la vida como en la nación necesitamos de otros para que nos ayuden.

Caleb experimentó la victoria. Nosotros también podemos hacerlo. ¿Le gustaría ser parte del grupo que "conquistará los montes"? Durante el momento de invitación, debemos llenar los pasillos yendo hacia el frente, como si usted dijera: "Yo me uniré con aquellos que conquistarán los montes para Dios." Luego, en los siguientes días y semanas, podemos demostrar nuestra fe a medida que vamos a hacer el trabajo que Dios tiene para nosotros.

DATOS PARA EL ARCHIVO:

Fecha:_____

Ocasión:_____

Lugar:_____

3

LA MINORIA CALIFICADA

Entonces dijo Jehová a Gedeón: Con estos trescientos
hombres que lamieron el agua os salvaré — Jueces 7:7.

El 1 de enero de 1959, noventa hombres en tres pequeños barcos viajaron desde la península de Yucatán, en México, hasta Cuba. Fidel Castro hizo historia en su isla nativa de Cuba cuando él y sus hombres sacaron a Batista del poder y tomaron el control del gobierno.

Muchas veces es el ejército pequeño o el grupo pequeño el que cambia la vida en la iglesia o la nación. El grupo que se establece como el "filo cortante" y que penetra hasta el centro de los asuntos es el que trae los grandes cambios.

En el libro de Jueces encontramos a Gedeón y a sus trescientos hombres, quienes ganaron una victoria importante sobre los madianitas. Estos habían atacado las granjas de los hebreos y les habían robado sus cosechas de granos, causando mucha desolación. En aquellos años opresivos de poco gobierno y mucha maldad en la tierra de Israel, Dios levantó jueces que dieron libertad al pueblo de Dios.

Gedeón y sus fuerzas se convirtieron en la minoría calificada, en una época de gran necesidad. Usted y yo podemos estar en la minoría calificada. La minoría calificada gana la victoria para que la mayoría pueda beneficiarse con ella. ¿Quiénes forman esta minoría?

I. LOS CREYENTES SON LA MINORIA CALIFICADA

El libro de Jueces cuenta la hermosa historia de un ángel del Señor que se apareció a Gedeón mientras éste estaba sacudiendo el trigo detrás de un "refugio". Se le saludó como "varón esforzado y valiente" (6:12). Gedeón protestó, diciendo: *"Si Jehová está con nosotros, ¿por qué nos ha sobrevenido todo esto?"* El ángel probó la liberación que Dios daría a su pueblo con la prueba del vellón (6:36-40). Y Gedeón creyó en Dios. Nosotros también podemos creer.

1. Debemos Creer que el Dios Que Actuó Ayer Puede Actuar También Hoy. En Jueces 6:13, Gedeón dijo al ángel que él sabía en cuanto a la gran liberación que Dios había dado a su pueblo en Egipto. Pero Gedeón preguntó: "¿Pero qué está haciendo hoy?" Gedeón pronto lo vio, y llegó a creer en este Dios que siempre actúa. El Dios de ayer es también para hoy. Aquí están las buenas nuevas. Dios puede "repetir su actuación," si lo creemos y queremos que lo haga en medio nuestro. ¿Lo cree usted?

2. Debemos Creer que Dios Puede Tomar a los Pocos y Débiles, y Vencer a los Muchos y Poderosos. Ocurrió en la época de Gedeón. No es nuestro número ni nuestro tamaño, sino es Dios el que tiene todos los recursos y todo el poder para su pueblo. ¿No tomó Jesús sólo unos pocos pescaditos y un poco de pan y alimentó a las multitudes? ¿No comenzó el Señor de gloria con sólo dos hombres, a quienes envió para hacer un impacto sobre su propia nación y les engrandeció para que el evangelio pudiera penetrar en Grecia, Roma, en las costas de España y alrededor del mundo?

¿Creemos en Dios? Como un "puñado" de gente que confía en el Señor podemos verle venciendo las fortalezas de Satanás. ¡La minoría calificada son aquellos que creen! ¡Usted y yo podemos estar entre los "pocos" que Dios usa, si lo queremos!

II. LOS QUE NO TEMEN SON LA MINORIA CALIFICADA

1. Los Que no Tienen Miedo del Enemigo. El Señor dijo a Gedeón que no debía asustarse ni tener temor (6:23). En el capítulo 7:9-14, Gedeón y unos pocos hombres selectos tuvieron un vistazo del campamento del enemigo. Ellos comprendieron que los madianitas se habían atemorizado y sabían que el Dios de Israel se había preparado para hacer algo grande por su pueblo, los hebreos.

Recordemos la historia en Jueces 7:3: "Ahora, pues, haz pregonar en oídos del pueblo. . . Quien tema y se estremezca, madrugue y devuélvase desde los montes de Galaad." Dios no necesitaba 32.000 para ir contra los madianitas, para que ellos no pensaran que habían ganado la batalla aparte de Dios. Veintidós mil tenían sus corazones llenos de temor y regresaron a casa a la primera oportunidad.

2. Los Que no Temen las Incomodidades y los Peligros. Las incomodidades del viaje hicieron que algunos se atemorizaran. Nunca es realmente confortable y agradable ir a la batalla por el Señor. Sea en Nueva Guinea, o en nuestra propia ciudad, o en los suburbios, cualquiera de nosotros puede tener un cierto temor de lo que se llama "incomodidad." Nos asustamos. ¡El hogar está tan lejos! Estamos incómodos. Pero Dios está con nosotros.

Los peligros a lo largo del camino hacen que algunos se atemoricen. Los israelitas no sabían todo en cuanto a los madianitas y sus armas de ataque. Algunos podrían morir en la batalla.

Nosotros enfrentamos peligros en nuestras batallas contra el enemigo. Si vamos contra las fortalezas de la bebida, de la inmoralidad y de la indecencia, las amenazas pueden caer sobre nosotros. Los peligros son reales en nuestro trabajo para Dios. Pero la ayuda de Dios puede quitar nuestro temor si estamos comprometidos con él. ¡Los que no temen están entre la minoría!

III. LOS DISCIPLINADOS SON LA MINORIA CALIFICADA

En Jueces 7:4 se nos cuenta acerca de los 10.000 que habían quedado con Gedeón después del éxodo masivo de los otros. Dios les dio otra clase de prueba. Esta vez fue un examen de disciplina. Los "disciplinados" llevaban el agua a su boca con las manos, vigilando al enemigo. Los indisciplinados se olvidaron de los peligros potenciales que les rodeaban y se saturaron en el lujo del agua para sus cuerpos sedientos. Ellos bebieron con total abandono del manantial o arroyo en aquel día. ¡Los trescientos bebieron con cuidado!

Algunos beben profusamente del manantial de la indiferencia. Dejan de observar al enemigo y saturan sus vidas con las comodidades y placeres. Ellos son pueblo de Dios, pero no están entre la minoría. Las aguas de la autoindulgencia y de la falta de restricciones morales descalifican a muchos que podrían ser grandes para Dios.

¡La minoría calificada conoce el valor de la disciplina! Ellos comprenden el mandato de Dios a Gedeón. Entienden las palabras de Jesús en Lucas 9:23, que dicen que debemos negarnos a nosotros mismos, tomar la cruz y seguirle. Proverbios 25:28 es un llamado a la disciplina: "Como ciudad derribada y sin muro, es el hombre cuyo espíritu no tiene rienda." ¡Tenemos que disciplinarnos para una vida disciplinada!

IV. LOS OBEDIENTES SON LA MINORIA CALIFICADA

En la victoria de Gedeón y sus trescientos hombres sobre la multitud de los madianitas tenemos una historia fantástica y sobrenatural (Jueces 7-12). Sí, Jueces 7 es un relato gráfico y estremecedor de la victoria de Dios por medio de Gedeón sobre un gran número de los madianitas. Con sus cántaros, lámparas, trompetas y gritos, Dios obró una victoria. El enemigo se dispersó y huyó para salvar sus vidas. Gedeón ganó la batalla por la sabiduría y el poder de Dios.

Con la palabra de nuestro testimonio y la historia de la cruz, la resurrección, la sangre de Jesús y el poder del Espíritu Santo, vamos hacia la victoria como los que obedecen a Dios. Podemos gritar: "¡Por Jehová y por Gedeón!" La victoria es nuestra en Cristo. La iglesia puede convertirse en la "minoría calificada" de Dios. Podemos ser aquellos que Dios usa. Podemos creer, ser valientes y no tener temor, ser disciplinados y obedientes. La victoria de Dios puede ser reclamada.

DATOS PARA EL ARCHIVO:
Fecha:_____
Ocasión:_____
Lugar:_____

4

UNA FE VALIOSA

Dijo, pues, Jonatán a su paje de armas: Ven, pasemos a la guarnición de estos incircuncisos; quizá haga algo Jehová por nosotros... — 1 Samuel 14:6-16.

La siguiente es una historia de fe destacada y la encontramos en 1 Samuel. Un ejército filisteo había rodeado al pueblo de Dios. El rey Saúl y seiscientos hombres no tenían ni la fe ni el coraje para dar batalla a sus enemigos. Jonatán, el hijo de Saúl, un día le dijo a su paje de armas: "Vamos, deshagámonos de los filisteos y liberemos a nuestro pueblo." Jonatán tenía una fe que realmente valía la pena. Nosotros necesitamos una fe valiosa.

I. UNA FE VALIOSA ES UNA FE QUE CONTINUA

Algunos dicen que tienen fe, pero muchas veces esa fe es vacilante, débil, sin desarrollo o sin valor. Saúl parecía tener una "fe espasmódica." ¡Algunos tienen una fe que les da "espasmos"! Nosotros podemos tener una fe que no fracasa.

1. Una Fe Que Continúa Está Anclada Realmente en Dios. Jonatán dijo a su amigo: "Ven, pasemos... quizá haga algo Jehová por nosotros" (14:6). El confiaba en Dios. Se daba cuenta que Dios era su apoyo. El creyó en el Señor del cielo y lo arriesgó todo por él.

Dios nunca falla a su pueblo. El es poderoso, eterno, sabio. Nosotros podemos confiar en él y seguirle. El es la fuente de nuestra esperanza. La fe continúa si tiene el ancla divina y descansa en Dios así como lo hizo la de Jonatán. Porque nuestro Dios es grande. Y nuestra fe continuará viviendo si está puesta en Dios.

2. Una Fe Que Continúa Tiene Fundamentos Sólidos. No está construida sobre el fundamento falso de los recursos humanos. Jonatán fue a la pelea con medios y recursos limitados. El tenía a Dios y poco más. Los filisteos tenían 30.000 carros, 6.000 jinetes y 2.000 hombres de infantería. ¡Jonatán y su amigo tenían dos espadas ordinarias y un escudo! Ellos no dependieron de los medios físicos, porque no tenían aquello de lo cual jactarse.

¿Cómo salimos para conquistar al enemigo? Si Dios pone mucho en nuestras manos, podemos usarlo bajo su dirección. Si tenemos poco, no debemos vacilar. Estamos armados con la Palabra de Dios, la oración y la presencia del Espíritu Santo. Podemos atacar las fortalezas de Satanás y ganar, porque tenemos fe en Dios.

II. UNA FE VALIOSA ES UNA FE CONTAGIOSA

Una fe buena se transmite a otros; es infecciosa. Jonatán tenía esa clase de "fe contagiosa." ¿Qué es lo que hará una fe así?

1. Una Fe Contagiosa Recluta a Otros. Hace que otros continúen. Cuando Jonatán habló a su paje de armas, el muchacho desconocido dijo: *"Haz todo lo que tienes en tu corazón; vé, pues aquí estoy contigo, a tu disposición"* (1 Samuel 14:7). Aquel debe haber sido un momento emocionante. Y qué momento cuando Andrés dijo a su hermano: "Vamos, Pedro, he encontrado a Jesús, el Mesías." Y los dos corrieron juntos. Su fe moverá a otros para que se le unan, si tiene una fe contagiosa.

2. La Fe Contagiosa Capacita a Otros. En esta clase de fe se libera una fortaleza sobrenatural. Apenas Jonatán y su paje de armas comenzaron a "tomar" a los filisteos, Saúl y sus seiscientos hombres salieron de su escondite y se presentaron otra vez contra los enemigos. El entusiasmo espiritual corrió por todo el campo. Puede ocurrir otra vez en nuestros días. ¡Vamos hacia adelante!

Jesús nos llama hoy para que vayamos hacia la victoria. Los pastores, maestros y otros líderes debemos ir con fe. La fe contagiosa capacita y recluta a otros.

III. UNA FE VALIOSA ES UNA FE CONQUISTADORA

Jonatán y su amigo ganaron una gran victoria. La fe puesta en acción lo hizo. En 1 Juan 5:4 se dice que la fe vence al mundo y da la victoria. En Hebreos 11:33 se afirma que la fe conquista reinos. Edifica iglesias. No debemos sólo "mantener" lo que tenemos.

1. Una Fe Conquistadora no Presta Atención al Ridículo. Los enemigos de Jonatán dijeron: "Subid a nosotros, y os haremos saber una cosa." Aquellos filisteos pensaron que podían divertirse con Jonatán.

La fe desarmará las palabras que se hablen en contra nuestra. Los jóvenes y las señoritas en la escuela pueden vivir para Cristo. Los comerciantes y los trabajadores pueden también conquistar el ridículo. Una fe victoriosa nos guía hacia esta conquista.

2. Una Fe Conquistadora Cree Que Dios Suplirá Cada Necesidad. Una persona que confía en Dios no está aislada de duda o temor. Aun las personas más grandes en la fe han admitido sus luchas; ellos no niegan el efecto paralizante de la duda. Y, sin embargo, los fieles creen que la victoria está últimamente en las manos de Dios y de su pueblo. Dado que Dios no fracasa, la fe nos guía a creer y confiar en él.

El Señor nos ofrece hoy una fe valiosa. Con esa fe podemos vivir y servir a Dios en cada área de acción. Podemos tener victoria si por la fe estamos del lado de Dios. ¡Pongámonos hoy en el ejército del Maestro!

DATOS PARA EL ARCHIVO:

Fecha:_____

Ocasión:_____

Lugar:_____

5

LAS GRANDES PROMESAS DE DIOS

Bendito sea Jehová, que ha dado paz a su pueblo Israel, conforme a todo lo que él había dicho; ninguna palabra de todas sus promesas... ha faltado. — 1 Reyes 8:56.

Alguien ha dicho que hay 32.000 promesas en la Biblia. Consideremos unas pocas promesas que Dios nos ha dado, recordando que Dios guarda sus promesas.

I. DIOS PROMETE SU PRESENCIA

Moisés dijo a Dios: "Si tu presencia no ha de ir conmigo, no nos saques de aquí." Dios le respondió: "Mi presencia irá contigo." Igualmente hoy, a cada lugar que vayamos la presencia de Dios va con nosotros (Isaías 43:2).

En todas las épocas y en toda circunstancia, Dios está con su pueblo. Bill Boyce, un cristiano ejemplar, trabajaba como capataz en la exploración y perforación para la Compañía Petrolera Phillips en el mar del Norte, Alemania e Inglaterra. La compañía tuvo una pérdida en un pozo en el mar del Norte. Bill como ingeniero fue para "tapar" aquel pozo en el mar. La tarea no sería fácil. Pero tuvieron éxito. Bill Boyce escribió más tarde diciendo: "Dios realmente estaba con nosotros en ese momento." ¡Dios también está con nosotros!

II. DIOS PROMETE SU PAZ

El aseguró a Moisés su paz cuando tuvo que enfrentar a Faraón. Ochenta años antes, cuando Moisés estaba flotando dentro de una canasta en el río Nilo, la paz de Dios debe haber inundado su corazón. En toda su vida, la paz de Dios estuvo con él.

Hay unos pocos pasajes de las Escrituras que deben ser memorizados por cada cristiano que quiere tener la paz de Dios en su corazón. Uno es *Isaías 26:3*. Otro es *Juan 14:27*. Otro más es *Filipenses 4:7*. En un mundo de inquietud, nosotros tenemos la receta para la paz interior. Necesitamos tomar la "medicina" de Dios, de modo que la vida pueda ser sanada.

III. DIOS PROMETE SU PODER

El Señor dio a las multitudes de los israelitas y a Moisés su fortaleza por cuarenta años, durante su tiempo de vagar por el desierto. Su fortaleza está a nuestra disposición en esta generación.

1. Tenemos el Poder para Vencer a Satanás. Moisés tenía fortaleza contra Faraón y sus fuerzas. Cuando todo parecía desesperanza, Dios proveyó el camino para la victoria. En 1 Juan 4:4 se afirma que aquel que está en nosotros es más grande y más fuerte que el diablo que nos perturba.

2. Tenemos el Poder para Testificar. Moisés y Aarón testificaron a Faraón y a los egipcios. En Hechos 1:8 se afirma que tenemos el poder de Dios para testificar a todo el mundo.

3. Tenemos el Poder para Permanecer Fieles. Fieles en la tarea que debemos realizar. Moisés se enojó y golpeó la roca, demostrando su impaciencia. A veces se quedó asombrado. Dios da su poder para que podamos llevar a cabo nuestras responsabilidades sin "hundirnos."

IV. DIOS PROMETE SUS PROVISIONES

Recordemos las asombrosas historias de la provisión de Dios para tres millones de hebreos con todo su ganado y sus animales de carga. Aun en el desierto, el maná, las codornices y el agua nunca faltaron al pueblo de Dios. La Roca que los seguía les daba ríos de agua refrescante. Nunca se gastaron sus calzados ni sus ropas. ¡Los esposos no tenían que preocuparse por las nuevas modas para sus esposas! Las provisiones de Dios son absolutamente asombrosas. Dios es nuestra fuente inagotable (Fil. 4:19).

V. DIOS PROMETE SU PERDON

El Señor perdonó a Moisés por matar a un egipcio. También le perdonó cuando se enojó y golpeó la roca, aunque Moisés no pudo entrar en la tierra prometida, Dios cumplió sus promesas al pueblo por medio de Josué. Dios ofrece también perdón para nosotros así como la realidad del cumplimiento de sus promesas (1 Jn. 1:9).

A veces oimos a los padres hacer promesas a sus hijos. Y un hijo puede algunas veces entristecerse si las promesas no se cumplen. Dios nos da sus promesas y él las guardará. Podemos confiar en Dios en cuanto a cada palabra que ha hablado.

6

¡RINDAMOS NUESTRA VIDA A DIOS!

Cuando habían pasado, Elías dijo a Eliseo: pide lo que quieras que haga por ti, antes que yo sea quitado de ti. Y dijo Eliseo: Te ruego que una doble porción de tu espíritu sea sobre mí.
— 2 Reyes 2:9.

Jim Jones, el líder de una pequeña secta, se trasladó desde California hasta un pequeño país en el este de América del Sur en 1979. Finalmente, Jim Jones y más de 1.000 de sus seguidores bebieron veneno y todos murieron, salvo un pequeño grupo. Ellos siguieron al hombre equivocado.

Pero podemos encontrar héroes reales cuyos ejemplos nos mantendrán en el camino correcto. El profeta Eliseo es una persona así, cuya vida podemos imitar. Con él estamos en buena compañía. Encontraremos provecho y beneficio en seguir a la persona correcta.

I. COMO ELISEO, PODEMOS RENDIR NUESTRAS VIDAS A LA VOLUNTAD DE DIOS

Debemos dejar que Dios controle nuestra vida, ¿no le parece? Eliseo tenía una vida grande porque él no la guardó para sí mismo, sino que la entregó a Dios. Nuestra rendición a la voluntad de Dios debe ser completa y total. Hagámosla en un ciento por ciento, en lugar de jugar con la voluntad de Dios. No debemos tener ninguna reserva en dar a Dios nuestros planes, nuestras acciones, nuestras posesiones y todo lo demás.

1. Una Rendición Completa. Nuestra rendición a los propósitos de Dios debe ser completa y total. Veamos el ejemplo de Eliseo. El estaba arando un día en un campo cuando Elías vino a su encuentro. El viejo profeta dijo a Eliseo: "Dios te quiere en el ministerio." Eliseo paró los bueyes, fue a su casa y dijo a su padre y a su madre que se iba a predicar, y luego fue a sus siervos y les habló de su nueva vida en el ministerio. Eliseo mató unos bueyes, hizo una gran fiesta y todos celebraron. Eliseo no lamentó su decisión. El se regocijó: "¡Alabado sea Dios, él me quiere en el ministerio y ahora le pertenezco!" (1 Reyes 19:19- 21).

2. Una Rendición Continua. Nuestra rendición a la voluntad de Dios debe ser continua. Cada día nos debemos levantar diciendo: "Hoy voy a rendirme de nuevo a Dios." Hagamos que nuestro compromiso con Dios sea fresco cada día. Renueve sus votos con Dios una y otra vez. Dígale diariamente: "Señor yo soy hoy tu propiedad. . . ¡Gracias, Señor, por este privilegio!" Bueno, aquí hay un poco de humor. ¿Escuchó de aquel hombre que no había besado a su esposa en diez años pero le disparó al hombre que lo hizo? Hablando seriamente, ¿cuánto hace que usted no le dice a su cónyuge, o a sus hijos, o a sus padres, que los ama? ¿Y cuánto hace que usted no le dice a Dios que quiere estar franca y continuamente comprometido con él? Ríndase, como lo hizo Eliseo.

II. COMO ELISEO, NECESITAMOS TENER UNA VIDA QUE SIRVA

Estemos listos para servir, trabajar y agradar al Señor en todo lo que hagamos. Necesitamos estar listos para servir en un lugar secundario. En el principio de su ministerio, leemos que Eliseo caminaba con Elías y "vertía el agua en las manos de Elías" (2 Reyes 3:1, *Biblia de Jerusalén*). El no codiciaba un lugar para predicar, ni para hacer anuncios, ni para levantar la ofrenda. ¡El solamente servía como "aguatero"!

No tenemos que anhelar las grandes posiciones. Dondequiera haya una necesidad podemos llenarla. Dondequiera haya una herida, podemos ayudar a sanarla. No tenemos que estar en el escenario. Podemos estar en el trasfondo y servir a Dios. Cuidando a los niños, enseñándoles o haciendo las tareas más pequeñas. Haga aquello que se necesita en la iglesia, en la ciudad, en el hogar o en su trabajo.

Samuel Johnson, un escritor inglés, volvía a su casa tarde cierta noche. En las calles de Londres, él vio a una mujer que había sido echada de una taberna. Johnson tomó a aquella criatura impura, la llevó a su casa, y él y su esposa cuidaron de ella y la guiaron hacia una nueva manera de vivir en el amor de Dios. ¡Eso es servicio!

Cuando servimos en un "lugar secundario", el servicio es supremo. Será visto y recompensado por el Señor. Jesús nos habla de esto en Mateo 25:41- 46.

III. COMO ELISEO, PODEMOS SER POSEIDOS POR EL ESPI-RITU

Elías y Eliseo caminaron sin apuro y largamente cierto día (2 Reyes 2). Antes de que Elías tomara su "avión" hacia el cielo, Eliseo pidió una "doble medida" del Espíritu Santo sobre él. El quería ser capaz de hacer la obra de Dios.

1. Para Ser Usados por Dios. Ser poseído por el Espíritu de Dios significa que seremos la persona que Dios quiere que seamos. No tenemos que ser otra persona. ¡Eliseo nunca podía ser Elías! Eran diferentes.¡Qué contraste entre los dos! Dios quiere usar a cada uno de nosotros en su propia manera, utilizando nuestros dones, talentos y personalidades a su manera.

Hace algunos años, un predicador bien conocido sirvió como presidente en una escuela de predicadores. Se dice que frecuentemente ponía su mano detrás de una oreja cuando predicaba. ¡Muchos estudiantes también lo hacían, pensando tal vez que eso les haría grandes! Eliseo es Eliseo, y Elías es Elías. Usted es usted y yo soy yo. Deje que el Espíritu de Dios nos posea como somos, o como él nos ha de hacer.

2. Para Ser Utiles a Otros. Poseído por el Espíritu de Dios significa que nuestra actuación será útil a otros. Cuando estamos bajo el control del Espíritu de Dios lo que hacemos bendice a otros. Eso sucedió en la vida de Eliseo cuando los ejércitos de Israel llegaron a estar sedientos durante la batalla contra los moabitas. Por medio de Eliseo, ellos tuvieron agua (2 Reyes 4:42-44). El Espíritu de Dios nos quiere usar para hacer aquello que necesita hacerse en un momento determinado.

3. Para Ser de Influencia Permanente. La posesión por el Espíritu dará una influencia permanente en el mundo. Quinientos años después, todavía se sentía el impacto de las escuelas de Eliseo. Su influencia continuaba; ¡aun sus huesos trajeron vida a un hombre muerto, cuyos portadores casi deben haber muerto de un ataque al corazón! (2 Reyes 13:20, 21). ¡Dios puede hacer que nuestra influencia sea también duradera!

Necesitamos dar y rendir a Dios nuestras vidas y decirle: "Señor, ¿qué quieres que yo haga?" ¿Y sabe una cosa? Dios con toda probabilidad nos lo dirá.

DATOS PARA EL ARCHIVO:

Fecha:_____

Ocasión:_____

Lugar:_____

7
DIOS RESPONDE A LA ORACION

> *E invocó Jabes al Dios de Israel, diciendo: ¡Oh, si me dieras bendición, y ensancharas mi territorio, y si tu mano estuviera conmigo, y me libraras de mal, para que no me dañe! Y le otorgó Dios lo que pidió* — 1 Crónicas 4:10.

Durante la Segunda Guerra Mundial, el capitán Eddy Rickenbacker y ocho hombres de su tripulación, quienes eran cristianos, subieron a tres botes salvavidas después que su avión cayó en el océano Pacífico. Sobrevivieron durante ocho días comiendo cuatro naranjas. Rickenbacker continuó orando. Sus lenguas y sus cuerpos se secaron. Al octavo día de ser llevados por la corriente, una gaviota se posó sobre la cabeza del capitán, quien la tomó. Los hombres comieron casi todo, salvo las plumas. Uno de los hombres tenía dos anzuelos, y usando como carnada las vísceras de la gaviota pescó dos caballas. Luego llovió. Los hombres continuaron navegando hasta el décimosegundo día, cuando un avión de búsqueda milagrosamente los encontró. ¡Ellos creyeron que Dios responde a la oración!

El texto en Crónicas habla acerca de Jabes, un hombre olvidado y pasado por alto, quien oró. El hizo una oración que nosotros podemos hacer. ¡Podemos orar y tener una respuesta!

I. PODEMOS ORAR PARA TENER PROSPERIDAD

Jabes invocó a Dios, diciendo: "¡Oh, si me dieras bendición y ensancharas mi territorio!" Crecimiento. Prosperidad. Aumento. Nosotros queremos esas cosas.

1. La Voluntad de Dios para Nosotros Es Nuestra Prosperidad. El dijo a su pueblo en Isaías 54 que extendiera sus tiendas. Josué 1:7-9 dice la misma verdad. No tenemos que permanecer como débiles cuando Dios quiere que seamos fuertes y crezcamos. No podemos hacer mucho en cuanto a nuestra estatura física, pero podemos estar seguros que Dios quiere que crezcamos espiritualmente. Podemos cambiar, expandir y crecer. Jesús nos prometió "la vida abundante" (Juan 10:10b). Dios quiere que tengamos prosperidad espiritual, no importa cuáles sean nuestras incapacidades físicas o materiales.

2. Necesitamos Trabajar para Nuestra Prosperidad. Jabes no se sentó, abandonado y triste a llorar. Ese fiel escriba, que vivió después de la cautividad en Babilonia, hizo algo. Pidió a Dios que ensanchara su territorio, que lo hiciera más grande. El reclamó sus posesiones.

Juan Wesley creyó en la expansión de la causa de Dios, y la llevó a cabo junto con miles de predicadores laicos. Puede suceder nuevamente; está sucediendo en muchos lugares. La iglesia puede crecer y "salir de su estancamiento" por sí misma. Lucas 14 nos dice cuál es la manera: "Vé por los caminos y por los vallados, y fuérzalos a entrar, para que se llene mi casa." Debemos estar listos para trabajar si esperamos que las bendiciones de Dios vengan sobre nosotros.

II. PODEMOS ORAR PARA PEDIR LA PRESENCIA DE DIOS

Jabes oró: "¡Oh. . . si tu mano estuviera conmigo!" La mano del Señor con nosotros significa su presencia. El está con nosotros. Nosotros también podemos pedir a Dios su presencia.

1. La Presencia de Dios Significa su Compañerismo. Dios está cerca para ser nuestro amigo y compañero. Dios permaneció con Jabes en el trabajo como escriba de aquel hombre. El está con nosotros para guiarnos y ayudarnos en todos nuestros deberes diarios.

David Livingstone trabajó como un médico misionero y como explorador en Africa por treinta y tres años. Cerca del fin de su vida, alguien le preguntó cómo había dejado fama y fortuna en Inglaterra para ser un misionero. El respondió: "Porque tengo las palabras de un perfecto caballero, que dijo:'No te desampararé ni te dejaré'" (Hebreos 13:5b). Pida la compañía de Dios en sus deberes diarios. Dios no quiere que estemos solitarios, desolados y tristes. El estará con nosotros.

2. La Presencia de Dios Da Consuelo. El versículo 9 de este capítulo dice que la madre lo llamó Jabes, que significa "dolor". Puede ser que el padre de Jabes había muerto antes de su nacimiento, y por eso el dolor. También esa etapa de tragedia nacional después de la cautividad en Babilonia había llevado a todos a la angustia. La mayoría de la gente entendía el lenguaje de dolor, sufrimiento y muerte. El salmo 23 y Juan 14 nos recuerdan el consuelo de Dios. El está presente para consolar en las pruebas, angustias y desilusiones de la vida.

27

3. La Presencia de Dios Da Coraje. Jabes podía continuar con su trabajo, porque Dios estaba presente para animarlo. Hay un sentido nuevo de falta de miedo y temor cuando sabemos que él está presente.

Martín Lutero necesitaba volver a Wittenberg, Alemania. Alguien le advirtió que podían matarlo si hacía ese viaje. Lutero respondió: "¡Yo iría a Wittenberg aun si cada teja de las casas fueran demonios!" Tendremos una nueva dimensión de coraje cuando sintamos la mano de Dios sobre nosotros.

III. PODEMOS ORAR PARA TENER LA PROTECCION DE DIOS

Jabes oró: "¡Oh... me librarás de mal, para que no me dañe!" Vivimos en un mundo malvado y cruel. Los peligros nos rodean; sin embargo, Dios es capaz de protegernos de aquello que pueda destruirnos.

1. Porque el Mal se Multiplica. Pida a Dios que nos proteja del mal porque el mal se multiplica, se expande. Es contagioso como los gérmenes de las enfermedades. Crece como la hierba. Los malos hábitos florecen.

He vivido en el sur de Texas por varios años. Alrededor nuestro están los cactus, mezquites y culebras. Nadie tiene que plantar, fertilizar o regar los mezquites y los cactus. Se difunden solos. Y lo mismo sucede con las culebras. El mal se expande en la misma forma.

2. Porque el Mal Arruina la Vida. Pida a Dios que nos proteja del mal, porque el mal arruina la vida. La cultura de las drogas, el alcohol, la revolución sexual y el crimen, todas envenenan la vida. Todos conocemos a aquellos cuyas vidas han sido destruidas. El mal extermina la vida. "La paga del pecado es muerte."

3. Porque Dios nos Ofrece una vida Mejor. Pida a Dios que nos proteja del mal, porque él nos ofrece un estilo de vida mejor. Jabes tuvo una vida más ilustre. ¡Dios puede dártela también! El puede dar su prosperidad, presencia y protección. Nosotros no tenemos el nombre "Jabes". Sin embargo, Dios quiere bendecir hoy a su pueblo de la misma manera en que él derramó sus bendiciones sobre gente hace mucho tiempo. ¿Dejaremos que Dios lo haga por nosotros?

Ore como oró Jabes. Cultive la vida de oración. Sea audaz y pida a Dios muchas bendiciones. No desperdicie las oportunidades de oración. No espere hasta que la enfermedad, la bancarrota o la cercanía de la muerte para comenzar una nueva vida. Deje que la oración sea su estilo de vida. No hay un mejor día para comenzar que hoy. Aprendamos a orar como lo hizo Jabes.

DATOS PARA EL ARCHIVO:

Fecha:_____

Ocasión:_____

Lugar:_____

8

COMO ALABAR A DIOS

Cantad a Jehová toda la tierra... Cantad entre las gentes su gloria... Porque grande es Jehová, y digno de suprema alabanza... Y dijo todo el pueblo, Amén, y alabó a Jenová — 1 Crónicas 16:23-36.

La Biblia nos dice una y otra vez: "Alabad al Señor." La Biblia nos recuerda que debemos glorificarle. La palabra "aleluya" significa "alabad al Señor". En el idioma hebreo, *hallel* significa "alabanza". La última parte de la palabra, el "Jah" es la forma abreviada de "Jehová" o "Yahweh", cuando los hebreos usaban la palabra. De ese modo, "aleluya" significa "alabad al Señor". Notemos que los salmos están llenos de alabanzas al Señor. El último libro de la Biblia repetidamente tiene expresiones de alabanza al Señor.

En 1 Crónicas 16 hallamos una historia de alabanza. Cuando David comisionó a los sacerdotes y a otros levitas para "traer el arca del pacto de Jehová, de la casa de Obed-edom", lo hicieron "con alegría". Después de dar tortas de pan, piezas de carne y tortas de pasas a cada hombre y mujer, David designó levitas para ministrar delante del arca y para que "loasen a Jehová Dios de Israel" (v. 4). ¡Qué tiempo hermoso tuvieron al glorificar y alabar al Señor! ¡Nosotros también podemos tenerlo! Hemos de alabar al Señor. Miremos las maneras en las cuales podemos alabarle.

I. ALABAMOS AL SEÑOR CUANDO HABLAMOS DE EL

1. Podemos Hablar Acerca de Su Gloria. Al hablar a otros acerca de Dios hacemos conocer su gloria, majestad, maravilla y poder. Al recordar a otros acerca del Señor promovemos su gloria entre los hombres. Los versículos

8 y 9 de este capítulo nos dicen que hablemos a otros en cuanto a sus acciones.

2. Podemos Hablar en Cuanto a Su Salvación. El versículo 23 afirma: "Proclamad de día en día su salvación." Hemos de proclamar su salvación. ¿Cuándo? ¡Día tras día! ¿Quién puede medir la maravilla de su salvación y redención? El nos ha perdonado, nos ha redimido, ha quitado toda nuestra indignidad y nos ha purificado por la sangre de Jesucristo, su Hijo. El no nos redime por medio de las aguas del río Ganges, ni por nuestras "buenas obras". El Señor nos salva a través de la cruz de Jesús.

3. Podemos Hablar de Su Gracia Sustentadora. El versículo 24 dice: "Cantad... sus maravillas." Dios cuidó de su pueblo en el desierto. En la sequedad del desierto Dios los mantuvo vivos. Isaías 48:21 nos habla de su provisión asombrosa. Dios hizo que surgieran las aguas. Salió un manantial de agua. Dios dio agua para los animales... agua para pastos en el desierto... forraje para los animales... agua para la gente. Necesitamos hablar de su gracia sustentadora.

A veces caminamos a través de "desiertos". Dios nos cuida. Los predicadores son sostenidos por el Señor. Dios da sostén a los granjeros, los maestros, las amas de casa y a todos los demás. Necesitamos hablar acerca del poder sustentador que recibimos cada día.

4. Podemos Hablar de Dios Como Creador. Hable acerca de Dios como creador. Los versículos 25 y 26 afirman: "Porque grande es Jehová, y digno de suprema alabanza... Mas Jehová hizo los cielos." Juan 1:3 y Colosenses 1:16, 17 declaran aquel poderoso acto creador de Dios. Y lo mismo se hace en Apocalipsis 4:11. ¡La Biblia dice que Dios es nuestro creador! Llenemos los restaurantes, oficinas, hogares y todo lugar con la historia de los actos creadores de Dios.

II. ALABAMOS AL SEÑOR CON NUESTRAS OFRENDAS

¡Ojo! Esto puede parar la alabanza de algunos. Pero aquí está el texto: "Traed ofrenda, y venid delante de él; Postraos delante de Jehová en la hermosura de la santidad" (v. 29). Alabamos a Dios cuando le damos nuestro dinero.

La primera parte de este capítulo habla de las ofrendas de paz y los holocaustos que el pueblo daba al Señor. En 1 Crónicas 29:20, 21 se nos habla de mil carneros, mil becerros, mil corderos, más libaciones y sacrificios en abundancia. Glorificamos y alabamos al Señor cuando damos.

La Biblia dice que Dios ama al dador alegre. Alguien agregó: "¡Y también acepta las ofrendas de un viejo gruñón!" Una persona escribió acerca del dar en una manera que no debemos imitar: "Había una vez un cristiano que tenía una apariencia piadosa; su consagración era completa, ¡salvo su billetera!"

Leemos una historia pertinente en el Antiguo Testamento en cuanto a Elías, quien visitó a una viuda. Ella tenía sólo un poco de harina y un poco de aceite (1 Rey. 17). El profeta pidió a la viuda de Sarepta que le preparara comida antes de hacer otra cosa. Ella dejó que el profeta comiera lo "último de su comida". Pero, ¡enseguida, Dios la sustentó, por tres años y medio!

Adoramos cuando damos. Alabamos al Señor cuando le entregamos nuestras ofrendas.

III. ALABAMOS Y GLORIFICAMOS A DIOS CUANDO FORTALECEMOS NUESTRO COMPAÑERISMO

El texto dice: "Recógenos, y líbranos de las naciones" (v. 35). El compañerismo entre los miles de israelitas continuó creciendo y desarrollándose. Esta era la forma en que crecía la iglesia primitiva en el Nuevo Testamento: tenían un compañerismo creciente día tras día. Creció desde un grupo pequeño hasta 120. Luego hubo 3.000 más que aceptaron a Cristo y llegaron a ser parte del compañerismo. Luego llegaron 5.000 más. Y la iglesia fue más y más grande mientras Dios bendecía a su pueblo.

Dios quiere que crezcamos. Jesús murió por todos. Hemos de alcanzar a toda persona que podamos. Y nuestro compañerismo debe ser más semejante a Cristo a medida que somos más grandes para Dios. Dios se especializa en grandes acciones. Alabemos al Señor por medio del crecimiento.

IV. ALABAMOS Y GLORIFICAMOS AL SEÑOR AL TESTIFICAR A OTROS

La Biblia dice que hemos de cantar "entre las gentes su gloria, Y en todos los pueblos sus maravillas" (v. 24). Cada iglesia puede declarar la gloria de Dios arriba y abajo de cada calle. Podemos invadir los negocios, edificios de departamentos, hogares y todo lugar que tiene una puerta abierta para hablar de las maravillas de Dios. Dios es glorificado y alabado cuando lo hacemos. ¿Divulgaremos la tarea? Jesús dijo en Juan 15:8 que nuestra tarea es ganar a otros. Ese es nuestro mandato divino. Alabemos al Señor haciendo su voluntad en alcanzar a otros.

Alabamos al Señor, también, cuando hablamos acerca de la salvación que Dios nos da. No necesitamos quedar en silencio en cuanto a esto. ¡Debemos alabar al Señor hablando acerca de Aquel quien nos da vida! Continuemos nuestra alabanza de él. No debemos ofrecer una alabanza tímida, a medias. Podemos dar al Señor una alabanza dinámica que retumbará en toda la creación de Dios. ¡Podemos alabar al Señor!

DATOS PARA EL ARCHIVO:

Fecha:_____

Ocasión:_____

Lugar:_____

9

BENDIGA AL SEÑOR

Levantáos, bendecid a Jehová vuestro Dios desde la eternidad hasta la eternidad; y bendígase el nombre tuyo, glorioso y alto sobre toda bendición y alabanza — Nehemías 9:5.

Nuestros himnarios tienen varios himnos por Fanny Crosby. Uno de ellos se titula: *En Jesucristo, el Rey de Paz*. El coro dice:

Gloria cantemos al Redentor
Que por nosotros vino a morir;
Y que la gracia del Salvador
Siempre proteja nuestro vivir.

Antes de que Fanny Crosby aprendiera a caminar o hablar, tuvo una infección en los ojos. El médico de la familia puso unas gotas en sus ojos, pero por error puso ácido en ambos ojos. La bebita gritó y se retorció en esa tortura. Desde ese día en adelante, Fanny Crosby nunca pudo ver. Vivió hasta los noventa años; murió en 1915. Las alabanzas a Dios continuaron fluyendo de la pluma de esa santa mujer toda su vida.

En el libro de Nehemías leemos que los hebreos también alababan a Dios. Recordamos que Nehemías regresó a su patria desde su trabajo como copero del rey en Babilonia para reedificar los muros de Jerusalén. Poco después de terminar con ese trabajo, alrededor de 444 AC. el pueblo se reunió para ayunar, orar y confesar sus pecados. Luego, el versículo del texto dice que el pueblo se levantó para bendecir al Señor. Todo el capítulo da las razones por las cuales el pueblo de Dios podía alabarle.

I. ALABEMOS AL SEÑOR PORQUE EL ES CREADOR

El autor declara que Dios ha hecho los cielos y todo lo que está en ellos, y la tierra y todo lo que está en ella. En efecto, Dios ha hecho todo.

Alguien puede decir: "¡Espere! ¿No ha oído a la gente bien preparada de hoy que enseña en las grandes universidades y escuelas públicas? ¿No ha oído lo que ellos dicen en cuanto a la evolución?" Sí, hemos oído todo eso. Pero también leemos en la Palabra de Dios eterna y transformadora de las vidas que el Señor es el autor de todas las cosas.

¿Se da cuenta qué Biblia nos quedaría si elimináramos todos los pasajes que nos aseguran que Dios es el creador? Se quitarían los primeros capítulos de Génesis. Se descartarían muchos de los otros escritos de Moisés. El libro de Salmos quedaría hecho jirones. Se anularían las afirmaciones de los profetas. Se quitarían del libro de Dios los escritos de Pablo, Pedro y otros autores del Nuevo Testamento. Los dichos de Jesús serían falsos. Hasta el último libro de la Biblia tendría muchas páginas eliminadas. La Santa Biblia nos dice cientos de veces que Dios ha formado un universo ordenado y hermoso.

Los evolucionistas no pueden probar nada. Ellos sólo "suponen" que la creación ocurrió accidentalmente. Decir que un orden cosmológico con todos los millones de galaxias en el espacio apareció por casualidad es suicidio espiritual. Nadie, salvo Dios, conoce todo el evento creativo. Dado que Dios nos dice que él lo hizo, yo tomaré su palabra. Nehemías dice que debemos alabar al Señor porque él es el creador.

II. ALABEMOS AL SEÑOR POR SU BONDAD PARA CON NOSOTROS

Llámelo gracia, amor, favor u otra palabra; pero recuerde que necesitamos alabar al Señor porque él es bueno para con su pueblo.

1. Porque El Nos Ha Elegido para Ser Libres. Los versículos 7 y 8 dicen que él nos elige por su bondad. El eligió a Abraham. Lo llamó de la tierra de Babilonia (Persia e Irán en la actualidad). Y Dios nos ha elegido también a nosotros. No podemos tener la vida por nuestra propia iniciativa. Dios nos ha dado vida, y le estamos agradecidos por ella.

Cuando el doctor William Tolbert fue vicepresidente de Liberia, en Africa Occidental, viajaba frecuentemente a lo largo del país. Un día vio un grupo grande de gente que llevaba una jaula en la cual había un muchacho negro sin brazos. El detuvo al grupo. Le explicaron que el muchacho estaba siendo llevado fuera del pueblo para sacrificarlo a uno de sus dioses, porque tenía un demonio en él que lo había hecho nacer sin brazos. El doctor Tolbert les ordenó abrir la puerta de la pequeña jaula. Preguntó al muchacho si quería ser libre e ir con él para vivir en su hogar. El muchacho dijo que sí. ¡Luego saltó a los brazos del doctor Tolbert! Aceptó la oferta de libertad. Más adelante, el doctor Tolbert llegó a ser presidente de su país y también presidente de la Alianza Bautista Mundial. El educó al jovencito y le dio vida y esperanza. ¡Y Dios hace más por nosotros! El nos elige. El es bueno.

2. Porque Nos Ha Dado Su Nombre. En su bondad, Dios nos da un nombre. El Señor cambió el nombre de Abrám en Abraham, o "padre de muchas naciones". ¡El Señor nos da su nombre! Es más que un gran nombre humano o familiar. Somos llamados "los hijos de Dios". El nos llama "cristianos". Tenemos el nombre de "discípulos". ¡Hemos llegado a ser "herederos de Dios y coherederos con Cristo"! ¡Dios es bueno!

3. Porque Nos Ha Dado Una Herencia. En su bondad, Dios nos da una herencia. El Señor prometió a Abraham "la tierra de Palestina". Y los descendientes de Abraham todavía viven allí. Pero Dios nos da una herencia aun más grande. Se nos recuerda de "una herencia incorruptible, incontaminada e inmarcesible" (1 Pedro 1:4, 5). ¡No es de asombrarse que Simón Pedro casi gritó en su carta acerca de nuestra herencia!

III. ALABE A DIOS PORQUE EL RESPONDE A LA ORACION

El versículo 9 afirma que Dios oye a su pueblo. El vio su aflicción en Egipto y oyó su clamor en el mar Rojo.

1. Cuando Oramos por Liberación Dios Nos Oye. ¡Qué día para recordar cuando Dios venció el poder del Faraón de Egipto y ahogó a su ejército en el mar Rojo! Si alguien hoy quiere libertad de la esclavitud y del pecado, clame a Dios. El nos libera del poder de Satanás a través de la sangre de Jesucristo. El puede liberar a cualquiera de su pecado si esa persona entrega su vida a Dios.

2. Cuando Oramos por la Dirección de Dios El Nos Oye. Los hebreos enfrentaron caminos desconocidos en el desierto, pero Dios brindó guía con una nube durante el día para protegerlos y una columna de fuego en la noche. Así como los hebreos tuvieron la mano de Dios para guiarles por cuarenta años, Dios dará dirección para cada vida hoy.

3. Cuando Oramos por las Necesidades Diarias Dios Nos Oye. Dios no nos deja desamparados en la desesperación. El es el Dios proveedor. Leemos pasajes estremecedores en Nehemías capítulo 9. Los versículos 15 y 21 nos hablan: "Les diste pan del cielo en su hambre... cuarenta años... de ninguna cosa tuvieron necesidad."

Dios cuida de las necesidades físicas tales como agua y comida. El dio el agua de la roca y el maná para su pueblo en su vagar por el desierto. ¡Qué historia asombrosa! Dios cuida aun de nuestras necesidades físicas.

Dios está dispuesto a perdonar nuestros fracasos. Quiere que comencemos todo de nuevo y que tengamos su vida. El es lento para la ira y grande en misericordia (vv. 17, 31). ¡Debemos alabar y bendecir al Señor! Podemos confiar en Aquel que es poderoso para salvar. ¡Entregue su vida a Jesús y él llenará su vida con una alabanza permanente al Padre!

10

EL LIBRO DE DIOS

*La ley de Jehová es perfecta, que convierte el alma... Los
mandamientos... rectos, que alegran el corazón... En
guardarlos hay grande galardón —* Salmos 19:7-11.

Un editor de un diario inglés cierta vez envió una carta a cien amigos. Ellos
eran maestros, médicos, abogados, políticos, otros que no necesariamente
tenían alguna tendencia religiosa fuerte. El les preguntó si en el caso de tener
que ir a la cárcel por tres años, y sólo poder llevar tres libros con ellos, ¿cuáles
elegirían? ¡Es notable que noventa y ocho de los cien pusieron a la Biblia como
primer libro de la lista!

En toda la historia del mundo no hay otro libro que se compare con la
Biblia. Piense en los temas en el libro de Dios. Piense en la filosofía en los
escritos de Salomón. Piense en la navegación en el libro de Hechos. Piense en la
astronomía en Job y en la agricultura en Isaías. Piense en la creación en el libro
de Génesis y en la consumación de todas las cosas en el último libro de la Biblia.
A través de todas las Sagradas Escrituras, encontramos tema tras tema de
continuo interés. Es el libro único de Dios.

I. LA BIBLIA ES PERFECTA

David escribió: "La ley de Jehová es perfecta." El no encontró defectos o
errores en el libro del Señor. Cualquier persona honesta tiene que confesar que
no encuentra imperfecciones en la Biblia. Un profesor de lenguas en la
Universidad de Princeton dijo hace un tiempo: "He estudiado la Biblia por
cuarenta y cinco años en forma vigorosa e intensa. Y debo confesar que no he
encontrado errores en este libro."

La Biblia viene de un Dios perfecto. El hace todo bien. Un Dios perfecto no nos daría una Biblia imperfecta. Todo lo que necesitamos saber acerca de nuestro peregrinaje espiritual desde la tierra hasta la eternidad se encuentra en sus páginas. Su libro es digno de confianza desde Génesis hasta Apocalipsis.

El Señor dio una guía humana perfecta a los que escribieron la Biblia. Los escritores eran seres humanos frágiles. Pero el Espíritu Santo de Dios se movió sobre ellos y les dirigió en sus escritos. "Toda la Escritura es inspirada por Dios." El relato de la creación viene de la mano de Dios. ¡Yo lo creo! El relato de Noé y del diluvio es historia real. El relato de Jonás y del gran pez es cierto. La resurrección de Cristo es verdadera. Sí, el Espíritu Santo ha dirigido la dádiva de este libro.

II. LA BIBLIA ES PODEROSA

En el versículo 7, David escribió: "La ley de Jehová es perfecta, que convierte el alma." El hombre es pecador. Necesita ser llevado de vuelta a Dios. ¿Cómo encontrará la criatura al creador? Dios da su Palabra, la que nos señala otra vez a Dios mismo. Los políticos no lo harán. Tampoco los economistas. La ley no lo hace. Decir a un hombre que tiene que ser suficientemente bueno no es la respuesta. La Palabra de Dios nos trae de regreso.

Gary Mason vive en Belfast, Irlanda. A los veintisiete años de edad él trabajaba para el gobierno. Se gozaba atacando la fe de la Biblia. No tenía simpatía por los cristianos. Comenzó a leer las Escrituras a fin de tener "municiones" contra los creyentes. Asombrosamente, la Palabra de Dios que estudiaba llevó a Gary Mason a la convicción de pecado, y el Espíritu Santo usó la Biblia para producir la conversión de aquel joven, quien a esta fecha (1986) está en una universidad bautista en Belfast preparándose para el ministerio.

Necesitamos hacer conocer el mensaje de la Biblia a cada persona que podamos alcanzar. La Palabra de Dios debe seguir adelante en las clases de escuela dominical o clases bíblicas, en la predicación, en los folletos y en la distribución de porciones de las Escrituras. Ella es poderosa y convierte al hombre.

III. LA BIBLIA TIENE UN PROPOSITO

El texto también afirma: "Hace sabio al sencillo." La mayoría de nosotros confesamos nuestra "simplicidad". Sabemos que necesitamos sabiduría. Yo crecí en una pequeña y tosca granja en Arkansas, y sé que necesito sabiduría. Leemos que la Palabra de Dios puede instruirnos; ¡puede hacernos sabios! Guía nuestros pasos (Salmos 119: 105).

Necesitamos guía en nuestra vida escolar, en nuestra preparación. No debemos tropezar en la oscuridad si dejamos que la Palabra de Dios nos guíe. Necesitamos guía en el matrimonio. La Biblia nos da instrucción en cuanto a aquel con el que nos debemos casar y en cómo tener una buena relación familiar. Necesitamos guía en nuestros trabajos. No tenemos que cometer el gran error que hizo Lot, como leemos en su historia en Génesis 19. Dios puede mostrarnos dónde vivir. ¿Quiere salir a unas grandes vacaciones? ¿Por qué no pide la dirección de Dios? Dejemos que su Palabra nos enseñe. La Biblia puede hacernos "sabios". ¿Le dejaremos hacerlo?

IV. LA BIBLIA ES UN DELEITE

El versículo 8 dice: "... que alegran el corazón." La mayoría de nosotros queremos alegría. Buscamos felicidad y placer en muchas formas. Sin embargo, la mayoría somos miserables. La gente está inquieta y no goza de paz. Aun los miembros de la iglesia se menean y agitan como un mar atribulado. Algunos nunca hallan contentamiento. Pero podemos encontrar un gozo abundante en las Escrituras. Jeremías 15:16 y Salmos 119:162 dicen que la Palabra de Dios imparte un gozo profundo.

Leemos una historia fantástica en Hechos 8. Felipe fue llevado desde el gran avivamiento en Samaria hasta un desierto polvoriento para encontrarse con un hombre de Etiopía. Ese hombre fue convertido en su carruaje y "siguió su camino gozoso." ¡Esto puede suceder una y otra vez!

V. LA BIBLIA ES PERMANENTE

El versículo 9 no habla de la Biblia, pero la implicación es en cuanto a las Escrituras: "Que permanece para siempre." En Salmos 119:89 y Mateo 24:35 se dice que la Palabra de Dios nunca quedará desactualizada.

¿Podemos mencionar otro libro que permanece en la lista de los más vendidos por 3.400 años? ¡Desde la época de Moisés la Biblia está "allí arriba"! No dude de su permanencia. El libro de Dios permanece a pesar de negligencia, quemas, tijeras de los críticos y aun de la mala interpretación. ¡Ella permanece!

VI. LA BIBLIA ES AGRADABLE AL PALADAR

La Palabra de Dios es dulce "más que miel". ¡Ponga miel sobre un pedazo de pan con mantequilla! Es deliciosa. La Palabra de Dios es agradable como la miel, y aun más. Y nuestras "papilas gustativas" en lo espiritual responden a la Palabra de Dios: perdón, el amor de Dios en Cristo, el poder del Espíritu Santo, el cielo y todas las glorias que esperan al pueblo de Dios. Sin dudas, la Palabra de Dios es dulce "más que miel, y que la que destila del panal."

VII. LA BIBLIA ES PROTECTORA

David escribió en el versículo 11: "Tu siervo es además amonestado con ellos." Los peligros de la inmoralidad son señalados y David conocía esas caídas. El peligro de la codicia enfrenta (Lucas 12). El peligro del alcohol tiene su luz roja centellando en la Biblia (Pr. 23:29-35). El peligro de la crítica encuentra su lugar en la Biblia (Mt. 7:1). El mensaje de la Biblia es para nuestra protección.

Todos nosotros necesitamos hoy un nuevo compromiso para leer y vivir en obediencia a la Biblia. Los gigantes espirituales en los años pasados han leído y estudiado la Biblia desde el comienzo hasta el fin. Cuando dedicamos tiempo al libro de Dios, descubrimos que la Biblia es un libro único. ¡Qué gran Dios y qué gran libro!

DATOS PARA EL ARCHIVO:

Fecha:_____

Ocasión:_____

Lugar:_____

11

LOS ANGELES DE DIOS

El ángel de Jehová acampa alrededor de los que le temen, y los defiende — Salmos 34:7.

Los ángeles son un orden de seres diferentes a los hombres. Son seres espirituales sobrenaturales que se mencionan alrededor de 200 veces en la Biblia. El salmo 8 dice que el hombre es un poco menor que los ángeles. Necesitamos saber más en cuanto a estos seres espirituales. La Biblia nos dice algunas cosas interesantes en cuanto a los seres angélicos.

I. LOS ANGELES TIENEN CUERPOS

1. El Cuerpo de un Angel Es Espiritual. El hombre no ve a estos seres sobrenaturales con los ojos físicos, aunque ese orden de seres ha sido visible en raras ocasiones. Un relato interesante acerca de un ángel se encuentra en Hechos 12. Simón Pedro vio a aquel visitante celestial después de que el ángel lo tomó de la mano, abrió las puertas de la prisión y lo llevó hacia la libertad fuera de la cárcel.

Es interesante que el cuerpo de los ángeles no tiene las limitaciones de nuestros cuerpos físicos. Ellos tienen otra dimensión, de modo que los objetos físicos como las celdas de las cárceles o el espacio no impiden su movimiento.

2. El Cuerpo de un Angel Es Sin Duda Glorioso. Algo de su gloria puede ser sugerido por el cuerpo resucitado de Jesús, y por nuestros cuerpos glorificados en el futuro. Sin las limitaciones físicas, aquellos hermosos seres celestiales tienen la ventaja y el lujo de un movimiento rápido y a voluntad. Daniel 6:22 sugiere esa ventaja. La distancia desde el cielo hasta la cueva de los leones donde fue arrojado Daniel no pareció tener una limitación de tiempo.

II. LOS ANGELES SON NUMEROSOS

En el cielo viven millones de ángeles y quizá hay muchos alrededor nuestro ahora. En Salmos 34:7 y Hebreos 1:13, 14 se indica esta verdad. El planeta tierra está habitado por cinco mil millones de personas. Puede que las huestes celestiales sean así de numerosas. Leemos en Hebreos 12:22 acerca de "la compañía de muchos millares de ángeles." En Génesis 28:12 Jacob tuvo una visión de una escalera descendiendo del cielo con muchos ángeles. En Daniel 7:10 leemos en cuanto a millones de ángeles. En Salmos 68:17 dice: "Los carros de Dios son veinte mil, y más millares de ángeles" (Reina-Valera 1909).

Recordemos el nacimiento de Jesús. Lucas 2:13 habla de "una multitud de las huestes celestiales." En Mateo 4:11 y 26:53 se nos recuerda del gran número de los ángeles. En Apocalipsis 5:11 se habla de cien millones de ángeles. Por todas estas referencias llegamos a la conclusión de que el número de los ángeles es muy grande.

III. LOS ANGELES REALIZAN ALGUNA CLASE DE SERVICIO PARA LOS REDIMIDOS

Tenemos servidores enviados desde el cielo para atendernos. Eso es lo que dice Hebreos 1:13, 14. Y es lo que afirma Salmos 37:4. ¡Dejemos que los ángeles hagan su trabajo en nuestro favor! Ellos nos protegen y son ayudantes amigables. ¡Gracias a Dios por estos siervos! Una vez que lleguemos al cielo, podremos ver cómo los ángeles nos guardaron en muchas ocasiones sobre la tierra.

En 2 Reyes 6:17, Eliseo y su siervo fueron rodeados por soldados sirios, que querían capturar al profeta. El siervo tembló. Eliseo pidió a Dios que abriera los ojos de su siervo. En Salmos 35:6, 7 se dice que los ángeles de Dios a veces persiguen a nuestros perseguidores. Los ángeles nos sirven.

IV. LOS ANGELES SON INTELIGENTES, GRANDES Y FUERTES EN PODER

La palabra "ángel" significa "mensajero". Ellos son los mensajeros especiales de Dios. Ellos no tienen la sabiduría que tiene Dios, pero para poder realizar el servicio para Dios y para el hombre, los ángeles deben ser seres inteligentes. Puede que, como nosotros, ellos puedan continuar en su proceso de aprendizaje. Las distintas misiones que ellos llevaron a cabo tanto en los días del Antiguo como del Nuevo Testamentos, requerían inteligencia de parte de ellos. Es lo mismo, también, en cuanto a su trabajo futuro. En Mateo 13:39 e Isaías 37:36 se indica que su "coeficiente de inteligencia" puede estar ¡arriba de 130!

En Mateo 28, después de la resurrección de Jesús, descendió un ángel para remover la piedra de la tumba del Señor. El pueblo podría ver entonces que Jesús había sido resucitado de los muertos. Los ángeles protegieron a

Daniel. Ellos rescataron a Lot en Sodoma. Ellos pueden hacer cosas asombrosas hoy por nosotros.

V. LOS ANGELES NO SE CASAN

El hombre en la gloria será como los ángeles: no se casará. En Marcos 12:25 y Lucas 20:36 están las palabras de Jesús. El dice que los ángeles no se casan ni se dan en casamiento. Y Jesús afirma que el hombre será así. La teología de los mormones en cuanto al hombre casándose en el cielo y teniendo hijos para habitar en otros planetas no tiene sentido. Como los ángeles, tendremos la frescura de la inmortalidad sobre nosotros sin ningún trazo de edad o cansancio —¡eso es grande!

VI. LOS ANGELES SON FELICES Y GOZOSOS

En Lucas 15:7-10 se dice que los ángeles se regocijan por un pecador que se arrepiente. Ellos tienen una fiesta cada vez que un pecador vuelve al hogar con Dios. En Job 38:7 se afirma que los ángeles se entusiasmaban tanto acerca de la creación del mundo que gritaron de gozo. Dios había creado a los ángeles antes que diseñara este universo (Génesis 1:1; Hebreos 11:3). Los ángeles son un grupo gozoso de seres creados por Dios.

VII. LOS ANGELES TIENEN NOMBRES

Nosotros nombramos a nuestros hijos y a nuestros animales. ¡Dios tiene nombres para sus ángeles! En Daniel 10:13, Judas 9, Apocalipsis 12:7, Daniel 8:16 y Lucas 1:19 se abre nuestro entendimiento en relación con sus nombres. Los ángeles son seres "personales y privados" con sus nombres. Nosotros aprenderemos los nombres de todos los ángeles en el cielo.

VIII. LOS ANGELES PUEDEN LLEVARNOS A LA PRESENCIA DE DIOS EN LA MUERTE

Cuando Elías fue al cielo sin haber muerto, los ángeles le llevaron en todo su camino hacia allí (2 Reyes 2:11). En Lucas 16 se nos cuenta de un grupo de ángeles que llevó a un mendigo al "seno de Abraham". La muerte no parecerá tan mala cuando entendamos que Dios tiene una escolta angélica que nos está esperando.

Un día tendremos un compañerismo permanente con nuestro trino Dios, el redentor de todos los siglos, y con todos los santos ángeles de Dios. Esa asociación será en una escala grande y que nunca terminará. Alabe al Señor por su creación que enriquecerá nuestras vidas en muchas maneras. ¿Puede alguien correr el riesgo de perder todo lo que Dios tiene para los que confían en él?

DATOS PARA EL ARCHIVO:

Fecha:_____

Ocasión:_____

Lugar:_____

12

EL GOZO DE LA SALVACION QUE DIOS DA

Vuélveme el gozo de tu salvación — Salmos 51:12.

La Biblia menciona una vida de gozo y felicidad una y otra vez. Algunos de los versículos son Salmos 16:10, Nehemías 8:10 y Juan 15:11. En el salmo 51, David habla acerca del gozo del Señor. El gozo debe ser real en la vida cristiana. Consideremos el texto.

I. EL CRISTIANO TIENE EL GOZO DE LA SALVACION

David menciona este hecho en el texto. Hablamos acerca del gozo cristiano y cantamos acerca del mismo porque es real en la vida.

1. El Gozo por Nuestra Redención. En el salmo 32, David escribió en cuanto al hombre que es bienaventurado o feliz: "Cuya transgresión ha sido perdonada, y cubierto su pecado." Cristo nos levanta del "lodo cenagoso". El nos redime de la condición de pecado. En Romanos 3:23 e Isaías 53:6 se nos recuerda que somos pecadores. Llegamos a Jesús, recibimos el perdón y entonces somos felices. La mujer samaritana de Juan 4 encontró un gozo que ella nunca había conocido hasta que se encontró con Jesús. La felicidad o el gozo es nuestra herencia cuando somos salvados.

2. El Gozo por Una Gran Relación. El cristiano tiene el gozo de la salvación porque la vida de Dios nos lleva a una gran relación. Estamos relacionados con Dios. El es nuestro Padre. Pertenecemos a su familia. Tenemos una relación duradera con otros. En 1 Samuel 18 se habla acerca de que el alma de Jonatán "quedó ligada" a la de David. Cuando se llegan a Dios,

41

las vidas realmente se unen. Piense en cuanto a la familia cristiana y la iglesia. Somos miembros de su cuerpo. Nos pertenecemos el uno al otro. ¡Qué relación podemos compartir cada día! Ya no estamos más solos. Esta pertenencia nos da gozo.

3. El Gozo por Nuevas Responsabilidades. El cristiano tiene el gozo de la salvación debido a nuevas responsabilidades. David se convirtió en rey de Israel. Tenía un gran trabajo que hacer. Antes de eso había trabajado con las ovejas de su padre y luego sirvió como músico en la corte del rey Saúl. Dios tenía algo especial para que hiciera David.

Y Dios tiene también un trabajo para su pueblo. Nosotros somos reyes y sacerdotes para Dios. Nuestra posición puede parecer sin importancia para alguna gente, pero todos en el pueblo de Dios tienen un gran trabajo que realizar al hacer la voluntad de Dios. Esa es la tarea más grande que cualquiera de nosotros puede hacer; la voluntad de Dios para la vida personal.

4. El Gozo Debido a Sus Recursos. El cristiano tiene el gozo de la salvación debido a sus recursos. Así como Dios suplió las necesidades de David, él puede darnos lo que nosotros necesitamos. Dios posee los millares de animales en los collados. La plata y el oro son suyos. El es el creador y el DUEÑO de todo. El tiene todos los recursos.

II. EL CRISTIANO PUEDE PERDER EL GOZO DE LA SALVACION QUE DIOS DA

Eso le pasó a David. El no perdió su salvación, pero sí el gozo de la misma. Los cristianos muchas veces pierden el gozo de la salvación:

1. Cuando Se Mira Demasiado al Enemigo. David se asustó de Saúl. El dijo: "Pereceré en manos de Saúl." Tenemos un enemigo más poderoso que el rey Saúl. El está también allí para tomarnos. Pero no gastemos demasiado tiempo mirando al lado oscuro del cuadro. Recordemos que el mismo Dios que cuidó de David cuidará de nosotros.

2. Cuando Se Está Ocioso. Mientras los hombres de David estaban en el campo de batalla, David había vuelto a Jerusalén. Y durante esa época de ociosidad el pecado llegó hasta él. El dicho antiguo de que "una mente ociosa es el taller del diablo" tiene mucho de verdad. Necesitamos permanecer ocupados para el Señor. Si abandonamos el servicio del Señor y salimos del "campo de batalla", como lo hizo David, entramos en dificultades y perdemos el gozo de la salvación.

III. EL CRISTIANO PUEDE RECUPERAR EL GOZO PERDIDO DE LA SALVACION

Eso es lo que David quiso decir cuando afirmó: "Vuélveme." ¿Cómo ocurre la restauración del gozo perdido?

1. Se Necesita Pedir Limpieza. Estudie todo el salmo, llore y regocíjese con la confesión de David. Esa es la clase de confesión que es necesaria para recuperar el gozo. El "hijo pródigo" halló gozo cuando fue a su hogar y confesó su pecado (Lc. 15). Ese es el paso que debe tomar cada uno que se ha alejado.

2. Se Necesita un Compromiso de Servicio. David escribió: "Vuélveme el gozo de tu salvación... Entonces enseñaré a los transgresores tus caminos, y los pecadores se convertirán a tí" (Salmos 51:12, 13). Cuando ocurre la restauración es cuando el creyente puede ser usado por Dios para alcanzar a otros. Un creyente alejado y frío no va a tener ninguna influencia en favor de Dios. Necesitamos un nuevo compromiso, y un nuevo comienzo de modo que podamos hacer la obra de Dios.

Recordamos un relato apasionante en *El Progreso del Peregrino*, de Juan Bunyan, en cuanto a aquel peregrino que se sentó debajo de un árbol y cayó en un sueño profundo. El se despertó y se dio cuenta que las horas habían pasado. Rápidamente, se levantó y comenzó su viaje hacia la Ciudad Celestial. Luego de un tiempo se dio cuenta que el rollo de las Escrituras que había estado llevando había quedado debajo del árbol. El corrió de regreso, encontró el rollo y luego continuó en su camino.

3. El Gozo Es un Regalo de Dios. El gozo de la Salvación de Dios es su regalo para nosotros. Si hemos perdido ese gozo, debemos regresar y encontrarlo nuevamente. Nuestro peregrinaje espiritual será de felicidad si el gozo de la salvación que Dios da está fresco en nuestras vidas.

13

¿HACIA DONDE ESTA MIRANDO?

Porque tuve envidia de los arrogantes, viendo la prosperidad de los impíos — Salmos 73:3.

Los ojos son regalos maravillosos de Dios. Podemos mirar los hermosos jardines botánicos y ver una expresión de la serie de colores vivientes y hermosos de Dios. Podemos mirar a los cielos y ver el sol, la luna y las estrellas. Podemos ver "cráteres" en la luna por medio de los telescopios, y con microscopios mirar la estructura de las células del cuerpo. David escribió en el salmo 73 acerca de "ver". Con nuestros ojos podemos ver un mundo pecaminoso, podemos contemplar nuestro propio yo o podemos ver a un Señor soberano. La pregunta realmente es: "¿Hacia dónde está mirando usted?" Estamos mirando en alguna dirección. ¿Es hacia el lado correcto?

I. PODEMOS MIRAR A UN MUNDO PECAMINOSO

En el comienzo de este salmo, David habla en cuanto a la grandeza y la bondad de Dios. Pero pronto sus ojos se dirigieron hacia sí mismo, hacia el mundo y finalmente volvieron a Dios. ¿Qué pasa cuando miramos al mundo?

1. Vemos la Prosperidad del Mundo. El versículo 3 dice: "Viendo la prosperidad de los impíos." El los describe como aquellos cuyos "ojos se les saltan de gordura", y que "logran con creces los antojos del corazón". La prosperidad no debe ser igualada con el mal. Pero cuando la "raíz" de la vida es el amor a los bienes materiales, eso es malo.

2. Vemos el Poder del Mundo. El versículo 4 dice: "Pues su vigor está entero." Es decir, por un tiempo. Los imperios poderosos, y los pequeños o grandes obradores de maldad parecen tener una fortaleza duradera. El comunismo parece fuerte con el mal del ateísmo. El capitalismo que elimina a Dios de la vida parece ser fuerte por un tiempo. Pero todo esto no puede resistir las tormentas y un día se acabarán.

3. Vemos un Mundo con Pocos Problemas. David dice: "No pasan trabajo como los otros mortales" (v. 5). El "mundo" puede no estar plagado de dificultades como el cristiano. La humanidad se mueve con el presente orden mundial, pero el cristiano va en contra de la corriente del mal. Esa es la razón por la cual las dificultades golpean duro a la gente que se dirige hacia el cielo. Nosotros llevamos el peso espiritual de otros.

4. Vemos el Orgullo del Mundo. El versículo 6 dice: "Por tanto, la soberbia los corona." Es decir que ellos son decorados con su propio orgullo. Estamos infectados de orgullo. El mundo está tan centrado en sí mismo que pregunta: "¿Cómo sabe Dios?" (v. 11). Goliat se sentía tan "elevado" en su orgullo que gritó a David: *"Ven a mí, y daré tu carne a las aves del cielo, y a las bestias del campo"* (1 Samuel 17:44).

5. Vemos el Placer del Mundo. Nunca he dudado de que el mundo tiene placer para ofrecer a la gente. Camine por las calles de Hollywood, Lima o Río de Janeiro y verá toda clase de engaños placenteros. David dice que "aguas en abundancia serán extraídas de ellas" (v. 10). Ellos beben profundamente de esa copa de placer. Y cuando miramos al mundo, puede motivarnos la tentación de unirnos a los buscadores de placer. El pecado engaña y atrae. ¿Hacia dónde estamos mirando? Si usted mira hacia el mundo pecaminoso, está mirando en la dirección equivocada.

II. PODEMOS MIRAR HACIA NOSOTROS MISMOS

David se sintió realmente sobrecogido. Cuando miró por tanto tiempo al mundo jactancioso, sonriente y fanfarrón, se sintió pequeño e inútil. Cuando miramos hacia nosotros mismos nos sentimos de la misma manera.

1. Limpieza Inútil. Cuando miramos hacia nosotros mismos la limpieza parece inútil; llegamos a ser autocentrados y decimos: "Verdaderamente en vano he limpiado mi corazón, Y lavado mis manos en inocencia" (v. 13). En efecto, el escritor dice que "verdaderamente mi limpieza ha sido en vano". ¿Nos hemos sentido alguna vez en esa forma? ¡Todo este asunto de alcanzar el perdón de los pecados y ahora, míreme! ¡Soy un miserable! Todo lo que Jesús hace por mí por medio de su sangre derramada parece de tan poca importancia que yo ni siquiera debo tenerlo. Esto es lo que sucede cuando miramos hacia nosotros mismos.

2. Aparece la Confusión y la Desesperación. Cuando miramos demasiado hacia nosotros mismos aparece la confusión. David dice: "Pues he sido azotado todo el día, y castigado todas las mañanas" (v. 14). Y él se sintió totalmente confundido en cuanto a todo ello. Dios trajo de vuelta a sus sentidos al "dulce cantor", de Israel pero David se sintió confundido y con pánico debido a la introspección. Cuando nos quedamos mirando hacia nosotros mismos, la confusión permanece.

3. La Comunicación Es Imposible. Cuando nos quedamos mirando hacia el yo, la comunicación es imposible. El texto afirma: "Si dijera yo: Hablaré con ellos, He aquí, a la generación de tus hijos engañaría" (v. 15). ¡Huy! Aun la predicación y la enseñanza del evangelio están ensombrecidas por la introspección. Todo llega a ser demasiado doloroso (v. 16). ¡Mire hacia ARRIBA, mi querido peregrino!

II. PODEMOS MIRAR A UN SEÑOR SOBERANO

Veremos al mundo y al "yo" en una manera diferente, en una nueva dimensión cuando miremos al "santuario de Dios" (v. 17).

1. El Mal Tendrá Su Final. Cuando miramos a Dios vemos la finalidad del mal. El mal tendrá su día. Recuerde y no olvide nunca esta verdad. El versículo 17 afirma: "Comprendí el fin de ellos." "Deslizaderos... asolamientos... se consumieron de terrores... sueño del que despierta... menospreciarás su apariencia." Estas son algunas de las maneras en que se revela el mal. En 2 Reyes 19:36, 37 se nos dice que Senaquerib había regresado de un intento fútil de destruir la ciudad santa de Dios, y que había dejado 185.000 soldados muertos. Ese general malvado de Asiria estaba delante de su dios Nisroc, en Nínive, y murió a manos de su propio pueblo. Hay un final eventual para el mal.

2. La Vida Egoísta Tendrá Su Final. Cuando miramos a Dios vemos la finalidad de la vida autocentrada. El versículo 22 es una confesión. David dice: "Tan torpe era yo, que no entendía; era como una bestia delante de ti." Esa es la vida centrada en el yo. Cuando vemos a Dios, se nos recuerda que el "vuelo solitario y triste" del yo no es la cosa recomendada.

3. Vemos el Favor Que Dios Nos Concede. ¡Ah! Cuando miramos a Dios, él nos da el favor de su guía (v. 24). El nos guía por su consejo. ¡Qué maravilla es tener esa guía en todas las áreas de la vida! La necesitamos. Cuando miramos a Dios, él nos da el favor de su gloria. El versículo 24 dice: "Y después me recibirás en gloria." Dios va a mostrarnos un día su plena gloria. ¡Qué favor, qué favor, qué favor!

La conclusión adecuada al salmo 73 es la sección breve en los versículos 25 al 28. El salmista nos recuerda que Dios es nuestra "porción" permanente. Y David declara fuertemente que es bueno acercarse a Dios. Podemos decir AMEN a su conclusión.

14

EL CIELO: HOGAR DEL PUEBLO DE DIOS

Me has guiado según tu consejo, Y después me recibirás en gloria — Salmos 73:24.

Uno de los nombres para designar al cielo es "paraíso". Su significado es "jardín de placer". Cuando el Señor llama a su presencia a personas de su pueblo, ellas van al hogar eterno para tener gozo y regocijo. Ese regocijo en la presencia de Dios es más grande de lo que podemos entender.

I. EL CIELO ES UN LUGAR DE ETERNO REGOCIJO

1. Los Enemigos Son Derrotados. El cielo es un lugar de regocijo porque los enemigos del gozo son derrotados. Cuando Cristo murió y resucitó de entre los muertos, él venció a todos nuestros enemigos. En el cielo conoceremos en una manera personal esa victoria total.

La Palabra de Dios dice que en el cielo terminarán para siempre el llanto, el dolor, las lágrimas y la muerte. Todo eso será "quitado" por el Señor.

Cuando Cristo venga en majestad y poder, el cuerpo será levantado a un estado de perfección eterna. Ninguno del pueblo del Señor vivirá más en el "cuerpo natural y débil". Cuando venga Jesús él nos dará cuerpos glorificados.

El dolor, las penas y las lágrimas son grandes enemigos. Cuando asistimos a un funeral, los amigos y familiares del fallecido tienen sus corazones entristecidos. Pero viene un nuevo día para nosotros, en el cual las lágrimas, las angustias y las separaciones producidas por la muerte no ocurrirán ya más.

Usted puede estar ahora triste. Su corazón puede clamar por consuelo.

Dios nos asegura que nuestro hogar en el cielo será sin la tristeza que usted siente hoy tan profundamente.

2. El Cielo Es un Lugar de Triunfo. Porque el gozo es una parte de la esencia y la naturaleza de Dios. En el relato del hijo pródigo, el padre dice: "Porque este mi hijo. . . es hallado. Y comenzaron a regocijarse" (Lucas 15:24). El padre del hijo pródigo representa a nuestro Padre celestial que se regocija cuando su pueblo está en casa. El libro de Salmos dice: "Estimada es a los ojos de Jehová la muerte de sus santos" (Salmos 116:15).

Aunque sus corazones se sientan atribulados, recordemos que Jesús dice: "Regocijaos de que vuestros nombres están escritos en los cielos" (Lucas 10:20). La atmósfera del cielo es de regocijo. Nos regocijaremos por siempre en la gloria.

II. EL CIELO ES UN LUGAR DE RELACIONES ESTIMULANTES

El conocimiento mutuo de los años pasados será una parte de las relaciones del cristiano en el cielo. Nuestro conocimiento mutuo en el cielo no va a ser limitado. La Biblia dice: "Pero entonces conoceré como fui conocido" (1 Corintios 13:12). Por ejemplo, si alguno de nuestros parientes ha muerto y fue cristiano, ahora tiene el gozo de estar con Abraham, David, Pablo y todos los redimidos.

Los ángeles forman una parte de las relaciones de los redimidos en el cielo. La Biblia nos dice que los santos ángeles son nuestros ayudantes en la tierra (Hebreos 1:13). Ya que el autor de la vida es nuestro Señor, el pueblo de Dios verá al Señor con sus propios ojos y tendrá compañerismo con él eternamente en gloria. Le veremos "cara a cara". Y aun cuando tendremos tristeza por una relación terrenal quebrantada, podemos regocijarnos por la relación más amplia con los redimidos en el cielo.

III. EL CIELO ES UN LUGAR DE ESPLENDOR SUPERIOR

El esplendor, la gloria y la majestad del cielo están más allá de nuestra comprensión. La Biblia dice: "El Cordero es su lumbrera" (Apocalipsis 21:23). Jesús afirmó: "Entonces los justos resplandecerán como el sol en el reino de su Padre" (Mateo 13:43).

1. El Cuerpo de los Redimidos Ha de Reflejar el Esplendor y la Gloria del Cielo. En 2 Corintios 5:1 se afirma que tendremos un cuerpo inmortal cuando Cristo venga otra vez. Pablo dice en Romanos 8:18 que aun los sufrimientos del tiempo presente "no son comparables con la gloria venidera que en vosotros ha de manifestarse". En Filipenses 3:21 leemos que Cristo está viniendo otra vez para cambiar y preparar el cuerpo de los salvados, el pueblo regenerado de Dios para ser semejante al cuerpo glorificado de Jesucristo. Vamos a ser capaces de tenerlo listo y preparado para la vida eterna en el paraíso de Dios.

2. Las Bellezas del Cielo Han de Reflejar las Glorias de la Tierra Eterna de Dios. El lenguaje se agota al tratar de hablar de las calles de oro, los ríos de agua surgiendo del trono de Dios, los árboles y su fruto, y la ciudad del rey eterno. ¡Allí hay una belleza indescriptible!

El Apóstol Pablo fue al desierto de Arabia después de su conversión a la fe en Jesucristo. Mientras estaba en esa área desolada, el apóstol dijo que fue llevado al cielo y vio y oyó cosas que de vuelta a la tierra le fue imposible expresar. La grandeza de la gloria es demasiado majestuosa para que el hombre las entienda en sus limitaciones actuales. El cielo estalla en su esplendor día tras día.

El comportamiento del pueblo de Dios en el cielo reflejará la gloria de esa paz. Serviremos al Señor. Quizá llegaremos a explorar el universo que Dios en su sabiduría ha creado. Cantaremos los cánticos de alabanza al Señor por siempre. Puede que nuestras palabras sean semejantes a una de las estrofas de este himno:

> Dios quiera que con los que están
> Del trono en derredor,
> Cantemos por la eternidad
> A Cristo el Salvador.

La muerte es una experiencia estremecedora. Los funerales no son fáciles para la familia. Pero usted puede confiar en el Señor para tener su paz, fortaleza y presencia en esa hora de necesidad. La oración de nuestros corazones es que Dios le consolará y ayudará hoy y en los días venideros hasta que nosotros, también, nos reunamos con el Señor y con todo su pueblo en nuestro hogar eterno.

DATOS PARA EL ARCHIVO:

Fecha:_____

Ocasión:_____

Lugar:_____

15

GANAR ALMAS ES UN ASUNTO DE SABIOS

El fruto del justo es árbol de vida; Y el que gana almas es sabio — Proverbios 11:30.

Los entendidos resplandecerán como el resplandor del firmamento; y los que enseñan la justicia a la multitud, como las estrellas a perpetua eternidad — Daniel 12:3.

Todos nosotros tenemos sueños interesantes. Cierta vez Salomón tuvo un sueño en el cual Dios le preguntó qué era lo que quería. Salomón pidió sabiduría y Dios le otorgó lo que pedía (1 Reyes 3:12). Tanto Daniel como Salomón dicen que si hacemos que la gente se vuelva al Dios viviente, entonces somos sabios. Debemos estar comprometidos en ganar a otros para Jesús. Ganar almas es un asunto de sabios.

I. SABEMOS POR QUE ALGUNOS NO GANAN A OTROS PARA JESUS

Aunque sabemos que es nuestro deber, todos fracasamos en guiar a otros a una fe personal en Cristo. Por lo menos, no somos tan efectivos como debemos. ¿Por qué fracasamos?

1. Porque no Queremos Hablar. Es fácil hablar acerca de cualquier cosa salvo de Jesús. Hablamos acerca de deportes, trabajo, escuela, tragedias espaciales, familia, dietas y el tiempo. De hecho, la mayoría de la gente pronuncia entre veinte y cuarenta mil palabras por día. Siempre hablamos lo que queremos. Sin embargo, la mayoría de las veces nos encontramos hablando acerca de temas secundarios de la vida en lugar de aquello que es primordial, y de la vida eterna.

2. Porque Nos Da Miedo. Muchas veces no testificamos porque tenemos miedo. Tenemos miedo de fracasar. No estamos seguros si aquellos con los cuales hablamos aceptarán el mensaje. Nos atemoriza que nos consideren como "fanáticos". Noé predicó 120 años sin éxito. Pero él continuó, aunque "todo el mundo" pensó que estaba loco.

El profeta Isaías dijo: "Heme aquí, envíame a mí." La última parte del capítulo 6 de ese libro nos cuenta que Dios le dijo que siguiera testificando, aun cuando el fracaso estaba a su alrededor. Debemos dejar a un lado el temor y continuar en la tarea de testificar.

3. Porque Somos Indiferentes. A veces no testificamos simplemente porque somos complacientes. La indiferencia realmente nos daña. Pensamos que todo está bien si nuestros amigos y familiares son creyentes, y no mostramos interés por otros. No podemos darnos el lujo de estar cómodos, olvidando la urgencia de señalar a otros hacia Jesús.

4. Porque No Sabemos Como Hacerlo. Algunos no testifican debido a la incertidumbre en cuanto a "cómo" hacerlo. Simplemente damos nuestro testimonio personal. Podemos decir sencillamente lo que Cristo ha hecho por nosotros. El gadareno transformado (Marcos 5) oyó que Jesús le dijo: *"Vete a tu casa, a los tuyos, y cuéntales cuán grandes cosas el Señor ha hecho contigo."* Pregunte a un amigo o amiga acerca de su destino, compártales su conviccion acerca de la vida eterna. Podemos usar Romanos 3:23; 6:23; 5:8. Podemos contarle el relato de Juan 3:16. Necesitamos comenzar a hacerlo.

II. SABEMOS POR QUE MUCHOS TESTIFICAN A OTROS

¿Por qué hay quienes quieren ver que otros sean salvos? ¿Por qué muchas iglesias y muchos cristianos sí testifican diariamente?

1. Porque Es la Comisión Dejada por Cristo. Muchos testifican porque comprenden que este es el plan y el propósito de Dios para ellos. Actúan como Felipe en Samaria, ganando a muchos (Hechos 8). Algunos siguen el ejemplo de Jesús en Samaria, junto al pozo de Jacob (Juan. 4). Si entendemos la Gran Comisión, entonces conoceremos que este es el plan de Dios para su iglesia y para cada creyente.

2. Porque el Individuo Vale Mucho. Testificamos porque reconocemos el valor del individuo. Química y físicamente, no tenemos mucho valor. El oro, la plata, el ganado y las tierras tienen mucho más valor que nuestros cuerpos físicos. Pero nuestro verdadero valor es inapreciable. En Marcos 8:37 se hace la pregunta: *"¿O qué dará el hombre por su alma?"* ¿Cuál es el valor de una ciudad? ¿Cuál es el valor de los edificios? ¿Cuál es el valor de una nación? ¡Un niño es de más valor que todo el material del mundo!

3. Porque la Gente Está Perdida. Testificamos porque la gente está perdida sin Cristo. Ellos están bajo la condenación y la ira de Dios. En Juan 3:36 se afirma esto. El relato que dio Jesús en Lucas 16:19-31 nos recuerda de la perdición del hombre. El infierno es el destino de los que no son salvos. Debemos testificar y señalar a los perdidos el camino hacia la vida en el cielo, en lugar de dejarles en camino a la destrucción. La gente convertida cambiará la vida de la iglesia. Es decir que la gente salvada trae entusiasmo al resto de nosotros. La Primera Iglesia Bautista en Hammond, Indiana, tiene más de cien personas que se agregan a la iglesia cada semana, bajo el liderazgo del pastor Jack Hyles. ¡Cuando ocurre algo así, los miembros están tan entusiasmados que no pueden hablar acerca de sus problemas!

4. Porque Dios recompensa al Ganador de Almas. Los dos personajes de las Escrituras que hemos usado nos recuerdan en cuanto a la sabiduría en testificar y nos sugieren una recompensa por el trabajo. Las recompensas divinas son valiosas. La corona del ganador de almas va a ser una recompensa resplandeciente y eterna.

5. Porque Cristo Pagó por la Redención. El precio que Cristo pagó por nuestra redención fue enorme. El entregó su vida al morir para la salvación del hombre. El sufrió, sangró y murió en la cruz para salvar a toda la humanidad. Debemos contar esta historia del amor de Cristo por nosotros una y otra vez.

¿Pagaremos el precio para alcanzar a otros? El Espíritu de Dios nos llama a hacer esta obra. Dios nos dará todos los recursos que necesitamos para esta tarea, la más importante en la vida. Jesús dijo que él había venido "a buscar y a salvar lo que se había perdido". Si el Hijo de Dios dejó el cielo para hacer esta obra, entonces podemos saber lo importante que es testificar. ¿Se unirán conmigo en la entrega de sus vidas a esta tarea de hablar a otros en cuanto a recibir a Jesús como el Señor de la vida?

16

CONFESION DE PECADO

El que encubre sus pecados no prosperará; mas el que los confiesa y se aparta alcanzará misericordia — Proverbios 28:13.

¿Cómo manejamos nuestros problemas con el pecado? Podemos negarlo o echar la culpa a otros. La manera sana y bíblica es "confesarlo y abandonarlo." Confesar significa que acordamos con Dios que el pecado es malo. Abandonarlo significa dejar de hacerlo. Ahora, si realmente lo hiciéramos, tendríamos el mayor avivamiento en la historia. Necesitamos confesar nuestros pecados.

I. CONFESEMOS EL PECADO DE LA LENGUA

Hay muchos capítulos en el libro de Proverbios que discuten el problema de la lengua. Una mirada rápida a una concordancia nos muestra que Salomón desarrolla el tema de la lengua en ocho capítulos. Se da más espacio al tema de la lengua que a cualquier otro. Por supuesto, debemos usar nuestras lenguas para el bien, pero Salomón habla acerca de aquellos que la usan mal. La lengua puede destruir a una persona. En Proverbios 13:3 se dice que "el que mucho abre sus labios tendrá calamidad."

1. La Lengua Puede LLevar a la Destrucción. Esopo cuenta una fábula acerca de una rana que un día vio a una pareja de pájaros que estaban sobre su cabeza, y dijo: "Me gustaría volar a través del aire como ustedes dos." Ellos le dijeron: "Eso está bien, ¿pero cómo podría suceder?" La rana respondió: "¡Ah! Yo tengo una idea brillante. Ustedes dos deben tomar un palo, cada uno de un extremo. Yo me agarraré justo en el medio y ustedes me llevarán para que pueda ver yo también el mundo desde arriba."

Los pájaros consiguieron el palo. La rana abrió su boca con deleite y mordió la madera, y los pájaros comenzaron su viaje hacia el cielo. Un granjero miró hacia arriba, vio el extraño cuadro y dijo: "Me pregunto, ¿quién tuvo una idea semejante?" La rana se sintió tan orgullosa por sus logros que exclamó: "¡Yo lo hi...!" Su boca abierta la llevó a la destrucción.

2. La Lengua Puede Hacer Surgir Peleas. Sabemos que se "siembra discordia entre hermanos" (Proverbios 6:19) por las palabras que se hablan. La armonía en el hogar es destruida por las palabras. Las guerras nacionales e internacionales surgen porque hay palabras que se lanzan de ida y de vuelta entre los líderes. Hay disturbios dentro de la iglesia por las "palabras contenciosas". Aun Bernabé y Pablo llegaron a discutir y no continuaron juntos como misioneros en el primer siglo por las palabras fuertes entre ellos (Hch. 15:39). Es necesario domar nuestras lenguas a fin de evitar las peleas.

3. La Lengua Puede Corromper a Otros. La conversación sucia no sólo daña al que habla, sino que también contamina a los que están escuchando. Puede que todos nosotros necesitemos confesar el pecado de la lengua y ayudar a que el mundo a nuestro alrededor sea uno mejor.

II. NECESITAMOS CONFESAR EL PECADO DE LA OCIOSIDAD

En Proverbios 6:6 encontramos un desafío osado que dice: "Vé a la hormiga, oh perezoso, Mira sus caminos y sé sabio." ¿Vio alguna vez trabajar a una hormiga? ¿Las ha visto parar para tomar un té o para el descanso del almuerzo? ¿Oyó alguno de nosotros que una hormiga hablara de tomar dos semanas de vacaciones durante los meses de trabajo? ¿Ha visto alguno a una hormiga haciendo la siesta al mediodía debajo de una hoja de pasto? ¡Por supuesto que no! Salomón dice: "Debes ser como una hormiga."

Cuando Dios puso al hombre en el huerto de Edén, el hombre tenía el trabajo de cuidar del lugar. El plan de Dios para el hombre siempre ha sido la "ética laboral." Debemos ganar nuestro sustento "con el sudor de la frente." Aun los niños deben tener responsabilidades. Cada persona debe tener su trabajo que hacer. Podemos trabajar en la casa, en el templo, en la oficina, en la granja, o en algún campo técnico. La Biblia dice que somos obreros, no "eludidores". Si una nación, una familia o una compañía ha de sobrevivir y ser sana, entonces el trabajo debe ser una parte integral de su vida. La hormiga es nuestro ejemplo de trabajo.

Las palabras del epitafio de una mujer pueden producir una sonrisa en nuestros rostros:

> Aquí yace una anciana que siempre estaba cansada,
> Vivía en una casa donde nunca se contrató ayuda;
> Sus últimas palabras fueron: "Querido amigo, me voy,
> Donde no haya que cocinar, limpiar ni coser;
> Porque todo allí es de acuerdo a mis deseos,
> Pues donde no comen, no hay lavado de platos.
> ¡No llores por mí, no llores nunca por mí!
> ¡No voy a hacer nada por siempre y siempre!

Usted y yo vivimos en un mundo de necesidades. Alrededor nuestro está el enfermo, el perdido, el anciano, el desanimado y el que no tiene ayuda. Podemos trabajar por Jesús ayudando a solucionar las necesidades de otros. Si no hemos dado una mano de ayuda a otro, confesemos y abandonemos este pecado.

III. NECESITAMOS CONFESAR EL PECADO DEL EGOISMO

En Proverbios 11:24, 25 hay palabras preparadas para destruir el egoísmo: "Hay quienes reparten, y les es añadido más. . . El alma generosa será prosperada." Dios es un Dios generoso que ha esparcido billones de estrellas en el espacio. Ha cubierto las montañas con flores y árboles, y nos ha dado abundancia de aire, agua y arena en las playas. Su desafío para nosotros es que demos, compartamos y no acumulemos para nosotros mismos. La Palabra de Dios afirma que tenemos a medida que damos con sabiduría. El desinterés que mostramos cuando damos mueve el corazón de otros para dar generosamente.

¿Qué decir en cuanto a este pecado del egoísmo y de la escasez de las dádivas? ¿Hemos de enfrentar honestamente a Dios y pedir su perdón? Un nuevo día brillará sobre nosotros cuando demos a Dios nuestros corazones y todo lo que poseemos. Podemos extender "su reino" por todo nuestro país y mucho más allá de él.

IV. NECESITAMOS CONFESAR EL PECADO DE NO ESCU-CHAR A DIOS

El primer capítulo del libro de Proverbios comienza donde termina este mensaje escrito. Salomón habla de aquellos que no prestan atención a Dios. Dios habla, pero ellos no escuchan. ¡Es extraño! Escuchamos los informes de nuestros médicos. También los de los maestros de escuela y les hacemos caso. Escuchamos a los políticos y creemos "sus promesas". ¿No es tiempo de que "sintonicemos" a Dios?

Hay una gran promesa en Proverbios 1:33: *"Mas el que me oyere, habitará confiadamente Y vivirá tranquilo, sin temor del mal."* Subraye estas palabras en su Biblia. Abra su Biblia en la parte central. Proverbios está al lado de Salmos. Note la promesa para aquellos que no son sordos a Dios. Le oímos y estamos en un lugar seguro.

Cuando escuchamos a Dios y lo que él nos dice, el temor nos dejará. Necesitamos que esta promesa se cumpla en nuestras vidas. Cuando la obediencia desaloje a la desobediencia y escuchemos a Dios hablar sus mensajes a nuestros corazones, vamos a ser bendecidos.

Ahora volvamos al texto de Proverbios 28:13. Se dice que no hemos de cubrir nuestros pecados. Más bien, hemos de confesarlos y abandonarlos. Entonces los ríos de la misericordia de Dios comenzarán a fluir en nuestras vidas. Seamos honestos con Dios y confesemos nuestro anhelo profundo de arrepentimiento, limpieza y bendición.

17
SEÑALES DE MADRES MAJESTUOSAS

Mujer virtuosa, ¿quién la hallará? Porque su estima sobrepasa largamente a la de las piedras preciosas. El corazón de su marido está en ella confiado. y no carecerá de ganancias. Le da ella bien... Busca lana... Es como nave de mercader... Alarga su mano al pobre... Fuerza y honor son su vestidura... Engañosa es la gracia, y vana la hermosura; la mujer que teme a Jehová, ésa será alabada... Proverbios 31:10-31.

¡Podemos alabar al Señor por nuestras madres! El escritor de Proverbios también recordaba a su madre. El brinda una descripción deslumbrante de una madre majestuosa en los versículos ya citados. En este pasaje notamos las "señales de madres majestuosas". Las madres grandiosas tienen rasgos distinguidos en su carácter. Salomón menciona algunas de esas cualidades. Considerémoslas.

I. LAS MADRES MAJESTUOSAS VIVEN NOBLEMENTE

El versículo 10 de este capítulo usa la palabra "virtuosa". Significa pura, noble, de buena calidad. Es una palabra que indica una vida con fibra y tono moral. La palabra se encuentra tres veces en Proverbios. Sólo una vez más aparece en el Antiguo Testamento. Esa referencia está en el libro de Rut.

Ese relato del Antiguo Testamento, que viene de la época de los jueces, nos cuenta acerca de una pareja formada por Elimelec y Noemí. Ellos vivían en la tierra prometida, pero llegaron tiempos difíciles para ellos por el hambre. El matrimonio, junto con sus dos hijos, se mudó al pequeño país de Moab. Luego murió el esposo. Los dos hijos se casaron y pronto ellos también murieron. Noemí dijo a sus nueras que ella iba a volver a su patria, pidiéndoles que permanecieran con su pueblo. Rut no quiso quedarse en su tierra; sino, viajó con su suegra a la tierra de Palestina.

Un día, mientras Rut recogía grano en el campo, Booz la vio y ella le agradó. Booz era primo de su suegra. Cuando preguntó quién era aquella joven, supo que era la nuera de Noemí. Booz se encontró con la hermosa joven en el campo. El dijo algo hermoso en cuanto a ella: "Toda la gente de mi pueblo sabe que eres mujer virtuosa" (Rut 3:11). Booz la reconoció como una mujer de valor, virtuosa y pura.

La persona sabia pone el valor en la pureza. El texto de Proverbios afirma que el valor de una "mujer virtuosa... sobrepasa largamente... las piedras preciosas". El valor de aquel que vive noblemente, con fibra moral y con la justicia de Dios, tiene un valor que excede largamente el de las piedras preciosas.

II. LAS MADRES MAJESTUOSAS TRABAJAN DILIGENTE-MENTE

Las palabras descriptivas de Salomón en cuanto a una madre majestuosa la destacan como una persona diligente e industriosa. Hoy no usamos el lenguaje que él usó 800 años antes de Cristo, pero entendemos que esas palabras indican trabajo. El escribe en cuanto al huso, la costura hecha a mano, el encendido de lámparas antiguas con algún tipo de resina o combustible, los viajes a los campos, e interminables caminatas de ida y de vuelta que recuerdan los barcos mercantes que van de un puerto a otro.

Leemos una historia intrigante en cuanto a Ana, en 1 Samuel. Ella había entregado al Señor al hijo tan esperado. Cuando el niño tenía unos cuatro años, aquella madre se separó de su hijo tan amado y lo dejó como el ayudante de Elí en la casa de Dios en Silo. Cada año ella fue a ver a su hijo, llevando consigo un hermoso regalo en el que había trabajado diligentemente todo el año. Una madre majestuosa trabaja diligentemente en lo que agrada y honra al Señor.

III. LAS MADRES MAJESTUOSAS SIRVEN DEVOTAMENTE

El texto dice que ella "alarga su mano al pobre". Ella conoce las necesidades de su propio hogar y cuida a su esposo e hijos. Pero su visión se extiende al mundo que está más allá de sus puertas. Ella ve a otros y quiere ayudarles.

Una madre que sirve es desinteresada; ella siempre está dando. Alcanza a otros. Vemos esto muy frecuentemente. Las madres extienden sus manos en ofrendas misioneras. En la historia de las misiones cristianas, las mujeres posiblemente estén a la cabeza en la lista de interés misionero. Mi esposa y yo servimos como misioneros en Argentina entre 1960 y 1969. Durante esa época yo me sentí guiado por el Señor para enviar "apuntes bíblicos" a los pastores de todo el país. De hecho, la lista pronto cubrió a pastores bautistas de todo el mundo de habla hispana, aun hasta España. Me llegaron cartas de 500 pastores en varios tiempos, expresando su gratitud por esas ayudas. Realmente no teníamos un sueldo suficiente como para cubrir los costos de imprimir y enviar esos estudios. Pero una amiga en Texas, la señora "Nonnie" Bryan, supo de ese ministerio de extensión que teníamos y ella hizo muchas inversiones útiles y adecuadas para esa tarea. Mucho de aquel trabajo no hubiera podido hacerse sin su aporte generoso. En el cielo, Dios la recompensará por aquella ayuda de amplio alcance debido a sus "manos extendidas".

En los Hechos, aparece una historia en cuanto a Dorcas, que hacía ropa y ayudaba a otros. Aquella mujer murió. La gente que había recibido vestimentas de una u otra clase, vino a su casa y lloró. Ellos hablaban de sus obras generosas. Algunas recordaron al apóstol Simón Pedro. Se envió a buscarle para que fuera al hogar de Dorcas. Cuando Pedro llegó y escuchó las historias en cuanto a aquella santa del Señor, él sintió que ella necesitaba continuar con su vida de servicio en la comunidad donde vivía. Y Dios resucitó a Dorcas por medio de las oraciones de Simón Pedro. Una persona que sirve es desinteresada y ama a otros. Usted encontrará que no hay manera de esconder la influencia de una mujer como ésta.

IV. LAS MADRES MAJESTUOSAS HABLAN SABIAMENTE

El texto dice: "Abre su boca con sabiduría, y la ley de clemencia está en su lengua." La sabiduría y la clemencia fluyen de la boca y del corazón de una "madre majestuosa" en forma tan natural como cae la nieve sobre las altas cumbres. Cada hijo o hija recuerda con frescura y gratitud la sabiduría y la bondad que ellos sintieron desde el corazón de su madre.

Las madres pueden aprender a mostrar amabilidad y a hablar con sabiduría. Ellas pueden practicarlo. La madre majestuosa habla de tal manera que ayuda en la dirección y formación de las vidas de aquellos que la rodean.

V. LAS MADRES MAJESTUOSAS CREEN PROFUNDAMENTE

El texto dice que esta es la persona "que teme a Jehová". Ella tiene una fe que cambia la vida. Cree y establece su vida en Dios y en su verdad. Esto significa que la madre creyente deja una gran herencia a aquellos que la rodean. Un depósito rico de fe en la vida de una madre abundará y enriquecerá también las vidas de otros.

La conclusión a la que llega la familia cuando una madre majestuosa enriquece el hogar es de alabanza y gratitud. El esposo tiene un corazón que confía seguramente en ella. El no se preocupa en cuanto a llegar a la ruina por una persona como su esposa. Los hijos ven el beneficio de una madre majestuosa. Ellos se levantan y la llaman bienaventurada. Toda la familia sabe del beneficio de la madre majestuosa. Y Dios también lo sabe.

DATOS PARA EL ARCHIVO:

Fecha:_____

Ocasión:_____

Lugar:_____

18

REPITAMOS EL MENSAJE

...Mandato sobre mandato... línea sobre línea... Isaías
28:13.

Conocemos el himno "Firmes y adelante" porque lo cantamos muy seguido. Sabemos las tablas de multiplicar porque las hemos repetido desde la niñez. Conocemos Juan 3:16 porque lo hemos oído tantas veces. Los críticos de Isaías lo acusaron en broma de agregar "línea sobre línea..." El predicó el mensaje de Dios una y otra vez. No debemos cansarnos de declarar la Palabra de Dios.

I. TENEMOS UN MENSAJE ACERCA DE LAS ESCRITURAS

1. Su Mensaje Es Permanente. Eso es lo que afirman Isaías 40:8 y 55:11. ¡El Libro de Dios no está destinado al olvido! El mensaje de la creación, el colapso a través del pecado, la cruz, la conversión y la futura venida de Cristo forman una parte de la verdad permanente de Dios.

2. Su Mensaje Es Adecuado. Nos sirve desde la salvación hasta la glorificación, desde la conversión hasta la consumación. Isaías 55:6-11 dice que la Palabra de Dios es adecuada.

II. NUESTRO MENSAJE ES ACERCA DEL PECADO

1. Debe Ser Claro. El pecado es iniquidad, perversidad, transgresión e impiedad.

2. El Pecado Es Universal. El primer capítulo del libro de Isaías muestra que el pecado ha corrompido a toda la humanidad. El pecado ha dejado su huella a través de las naciones, razas e individuos.

3. El Pecado Es Costoso. Trae devastación y muerte. Mire el efecto demoledor en el tiempo de Isaías. Vea cuán costoso es hoy. El pecado no perdonado resulta en el infierno y la destrucción eternos. El costo del pecado es terrible.

4. El Pecado Puede Ser Perdonado. Todo pecado puede ser perdonado. Los hombres inicuos pueden ser limpiados. El hombre moralmente perdido puede ser perdonado. Una persona no debe permitir que el pecado permanezca en su vida.

III. NUESTRO MENSAJE ES ACERCA DE LA SALVACION

1. La Salvación Que Dios Da Es Gratis. No es barata, pero no le cuesta nada al hombre. Isaías 55:1 dice que podemos ir libremente, "sin dinero y sin precio". ¡Usted no puede encontrar una oferta mejor!

2. La Salvación Que Dios Da Es Plena. Es completa. Un día experimentaremos la liberación total. Mientras tanto, "gemimos" (Romanos 8:23), esperando aquella libertad final de todo lo que nos molesta.

3. La Salvación Que Dios Da Viene por Medio de Cristo. Isaías 53 nos dice que Dios ha dado a su Hijo para ser nuestro Salvador. Jesús ha pagado el castigo por nuestros pecados. ¡El capítulo 55 de Isaías nos hace saber que la vida que Dios tiene para nosotros viene de Jesús!

Tenemos muchas más verdades que podríamos decir en cuanto al mensaje que tenemos que proclamar. Es bueno que podamos ser capaces de agregar "mandato sobre mandato. . . línea sobre línea", de modo que la gente pueda oir, entender y ser cambiada por el mensaje de la gracia de Dios.

DATOS PARA EL ARCHIVO:

Fecha:_____

Ocasión:_____

Lugar:_____

19

MIREMOS A NUESTRO DIOS

. . . Anunciadora de Sion; levanta fuertemente tu voz. . . no temas. . . ¡Ved aquí al Dios vuestro! — Isaías 40:9

Un muchachito se sentó en su clase de la escuela dominical cierto día, dibujando algunas líneas sobre una hoja de papel. Su maestro le preguntó: "Juanito, ¿qué estás haciendo?" El niño respondió: "Estoy haciendo un cuadro de Dios." El maestro respondió rápidamente que nadie conocía cómo era Dios. El muchachito dijo: "¡Espere a que termine mi cuadro y entonces usted va a saber cómo es Dios!"

El profeta Isaías nos permite tener un cuadro excelente de Dios. El capítulo 40 nos habla en cuanto al Señor. En el versículo 9 se nos dice que miremos al Señor. Y luego Isaías nos da una descripción grande y gráfica del Señor. Podemos saber cómo es Dios. Por medio del profeta Isaías podemos tener un hermoso cuadro de él.

I. DIOS ES EL SEÑOR QUE ESTA PRESENTE CON SU PUEBLO

Hay traducciones que en el versículo 9 dicen: "El Señor está presente." En el versículo 3 el predicador dice: "Preparad camino a Jehová; enderezad calzada en la soledad a vuestro Dios." El es el Dios que está en el medio de su pueblo. ¿Cómo es Dios? El es el Dios que está aquí.

Moisés se encontró con Dios en la "zarza ardiendo". El nunca dudó de la presencia de Dios con él. Tiempo después, Moisés y Aarón junto con los hijos de Israel vieron la demostración de la presencia de Dios con ellos, mientras la nube les guiaba desde los campos de esclavitud en Egipto hasta las aguas del mar

Rojo. Dios estaba presente y abrió aquel mar. El estaba presente con su pueblo en el tiempo de vagar en el desierto, llevándoles desde un lugar hasta otro. Dios dijo a Moisés: "Mi presencia irá contigo."

La presencia de Dios estaba con Sansón cuando él batallaba contra los feroces filisteos y ganaba victoria tras victoria. El Señor lo capacitó con poder, de modo que pudiera dar liberación al pueblo de Dios que estaba en aflicción en la tierra prometida. Dios estaba con Jonás mientras él predicaba en Nínive.

El Dios que se ha hecho presente en toda la historia y todos los tiempos con su gloria y poder, quiere hacerse presente también en esta hora. ¡El está aquí! El está presente contigo y conmigo. Digamos a Dios: "¡Oh, Señor! Está presente para llenarme con tu gloria como llenaste el templo en los días del profeta Isaías." ¡Miremos al Señor que está presente con su pueblo!

II. DIOS ES EL SEÑOR DEL PODER

El versículo 10 dice: "He aquí que Jehová el Señor vendrá con poder." ¡Esté seguro! Nadie habla acerca de la mano "débil" de Dios. El versículo 15 dice: "... las naciones le son como gotas de agua que caen del cubo", comparadas con el poder de Dios. El hace desaparecer las islas como si fueran poca cosa. El versículo 28 afirma: "¿No has sabido, no has oído... el Dios eterno es Jehová... No desfallece, ni se fatiga con cansancio..." Es el Dios que tiene una fortaleza que nunca falla (ver Isaías 46:10).

A veces vemos a niños que usan las camas como trampolines. Ellos corren y corren y no parecen cansarse. ¡Pero se cansan! Aun los jóvenes desfallecen. Cuando era niño yo corría y corría. Pero también me canso. Y lo mismo le pasa a usted. Pero Dios no se cansa. El tiene una fortaleza inagotable.

III. DIOS ES NUESTRO PROVEEDOR Y PROTECTOR

El versículo 11 dice así: *"Como pastor apacentará su rebaño; en su brazo levantará los corderos, y en su seno los llevará; pastoreará suavemente a las recién paridas."* ¡Qué gran Dios! El provee y protege.

Con esta clase de Dios no debemos preocuparnos ni ser llevados a la ansiedad. El cuidó de Daniel en el foso de los leones. El protegió a los tres jóvenes hebreos en el horno de fuego. El cuidó de Pedro y de Pablo. Y Pablo escribió: "Si Dios es por nosotros, ¿quién contra nosotros?" Es seguro que el diablo puede estar contra nosotros, y algunos otros pocos también. Pero eso es todo. Dios provee y protege a los SUYOS.

IV. DIOS ES UN DIOS PERCEPTIVO Y CASTIGADOR

El versículo 13 dice: "¿Quién enseñó al Espíritu de Jehová, o le aconsejó enseñándole?" La respuesta implícita es que nadie lo hizo.

1. Dios Conoce las Acciones del Hombre. El versículo 27 dice: "¿Por qué dices... Mi camino está escondido de Jehová...?" En los días de Eliseo, un rey pagano quería atacar a los hebreos. Cada vez que formulaba sus planes de ataque, Dios lo decía a Eliseo y éste lo informaba a su propio rey. El rey pagano pensó que alguien de su propio ejército lo estaba traicionando (2 Reyes 6:8-12). Las acciones del hombre son conocidas por nuestro Dios omnisciente.

2. Dios Conoce Todos los Secretos. Su conocimiento es infinito. El llama a las estrellas "por sus nombres" (v. 26). El conoce en cuanto a periodismo, porque escribió la Biblia eterna. El conoce en cuanto a ciencia, porque hizo todos los elementos. El conoce de matemáticas, porque midió la distancia entre los planetas y los puso para que giraran en el espacio. ¡Oh, las profundidades de su sabiduría! (Romanos 11:33).

3. Dios Castiga el Pecado. El versículo 23 dice: "El convierte en nada a los poderosos, y a los que gobiernan la tierra hace como cosa vana." ¿Dónde están los imperios del pasado: Asiria, Persia, la poderosa Grecia, y Roma de la antigüedad? ¡Se han ido! ¿Dónde están los faraones, los césares y otros? Un día toda la tierra será juzgada por el Señor de todo. Dios no quiere castigar a las naciones. Pero cada Sodoma, Gomorra y nación que se aleje de él enfrentará el juicio. El carácter de la vida demanda juicio.

V. DIOS ES EL SEÑOR QUE PERDONA

Isaías 40:2 dice: "Hablad al corazón de Jerusalén; decidle a voces que su tiempo es ya cumplido, que su pecado es perdonado; que doble ha recibido de la mano de Jehová por todos sus pecados." La gente común y los líderes religiosos se habían rebelado contra el Dios de Israel. Ellos habían pecado gravemente. Debido a sus iniquidades, los ejércitos extranjeros llegaron a la tierra, la devastaron y saquearon a la gente. ¡El pecado los había devastado!

El tiempo pasó y Dios dijo a Isaías que confortara a su pueblo en la cautividad. Este profeta proclamó las buenas nuevas de una época de favor y liberación para el pueblo de Dios. ¡Dios había perdonado su pecado! No les dio "libertad condicional." No les dejó libres mediante el pago de una fianza. El les perdonó. Aquel que nos llama a cuentas dice también que él provee una fuente para la limpieza de los que se arrepientan. Aquel que castiga quiere también perdonar.

El remedio para el pecado viene en la manera que Dios ordenó. La solución al problema del pecado viene por medio de la muerte del Mesías, el perfecto Dios-hombre que es Jesucristo. No hay otro camino: "El camino de la cruz conduce a casa." La iniquidad es quitada por medio de la provisión de gracia de Dios, como él lo anticipó en Isaías 53.

Sea temprano o tarde en la vida, sería mejor que nosotros pudiéramos ver a Dios como lo hizo Isaías. Necesitamos mirar a Dios. Podemos alcanzar una nueva percepción de él. El quiere convertirse en el centro de nuestra vida. Usted y yo podemos ver al Dios de la gloria, de la gracia, del esplendor, del poder, de la majestad, de la redención. No podemos darnos el lujo de pasar sin verlo.

DATOS PARA EL ARCHIVO:

Fecha:_____

Ocasión:_____

Lugar:_____

20

EL SEÑOR RENUEVA A SU PUEBLO

Levanta canción y da voces de júbilo... Ensancha el sitio de tu tienda... Porque te extenderás a la mano derecha y a la mano izquierda... No temas... te olvidarás de la vergüenza de tu juventud... Tus ventanas pondré de piedras preciosas... Ninguna arma forjada contra ti prosperará — Isaías 54:1-17.

El desierto de Sahara, inmenso y abrasador, se extiende a lo largo del norte de Africa, desde el océano Atlántico hasta el mar Rojo, una distancia de casi 5.000 kilómetros. El desierto se extiende por unos 2.000 kilómetros al sur del mar Mediterráneo. El setenta por ciento del desierto de Sahara es roca desnuda. Las dunas de arena cubren un quince por ciento del área y el restante quince por ciento incluye montañas, oasis en el desierto, zonas de transición y los ríos Nilo y Niger. No nos gustaría vivir en el medio del desierto que se congela en el invierno y alcanza temperaturas de más de cincuenta grados a la sombra en los veranos largos y sin lluvia.

Muchos de nosotros vivimos espiritualmente en un "Sahara espiritual". Enfrentamos días desiertos, pero no tenemos por qué hacerlo. Dios quiere que nos renovemos y que vivamos en forma majestuosa. El capítulo 54 de Isaías proclama el mensaje de renovación, de una vida de avivamiento para el pueblo de Dios. Este capítulo sigue al capítulo que habla acerca de la muerte de Jesús por el pueblo de Dios. La Biblia nos recuerda que si Dios ha dado a su Hijo por nosotros, "¿cómo no nos dará también con él todas las cosas?" (Romanos 8:32). ¡Dios renueva! ¿Cómo lo hace?

I. DIOS HACE QUE SU PUEBLO TENGA GOZO

Los versículos 1 al 3 hablan de este gozo que es nuestro. ¡Dios dice que cantemos! El declara: "Levanta canción y da voces de júbilo." El Señor quiere que nos regocijemos. Ese es el mensaje una y otra vez en las Escrituras. ¡El pueblo de Dios debe estar gozoso!

1. El Señor Nos Hace Productivos. El Señor nos hace gozosos quitando la vida improductiva. La Biblia habla de la "estéril, la que no daba a luz". Dios dice: "Regocíjate, oh estéril, la que no daba a luz; . . . porque más son los hijos de la desamparada que los de la casada." Recordemos la historia de Sara, la esposa de Abraham. Ella permaneció estéril por muchos años. Ciertamente, Sara había vivido hasta los noventa años antes de dar a luz a Isaac. Ella se sentía desolada y abandonada por el Señor. Sintió el desprecio y la burla de los demás. Pero Dios quitó su esterilidad.

Israel, el pueblo elegido de Dios, vivió una larga etapa de esterilidad espiritual. Pero Dios prometió quitar su vida improductiva. Dios hace esto también por el individuo y por la iglesia. El cambia nuestras vidas improductivas en productivas.

2. El Señor Nos Da un Gran Crecimiento. El Señor nos hace gozosos dándonos un crecimiento sin precedentes. El texto dice: "Ensancha el sitio de tu tienda, y las cortinas de tus habitaciones. . . no seas escasa; alarga tus cuerdas y refuerza tus estacas." El Dios todopoderoso dice que nos extenderemos "a la mano derecha y a la mano izquierda". ¡Dios dice que tendremos un crecimiento sin precedentes!

La promesa de Dios de un crecimiento sin precedentes está tomando lugar en todo el Oriente, en Africa, en las islas del Pacífico y en lugares inesperados en Norteamérica, Sudamérica y Centroamérica. ¡El crecimiento sin precedentes es una promesa de Dios! Cuando ocurre el crecimiento somos renovados.

II. DIOS QUITA LA VERGÜENZA Y EL TEMOR DE SU PUEBLO

Esa es la forma en que él nos renueva. El Señor poderoso nos da vigor y nos estimula por la promesa de quitar nuestra vergüenza y nuestro temor.

1. No Más Vergüenza. La vergüenza del pecado ya no nos persigue. Somos su pueblo perdonado. Israel sintió la vergüenza de sus malas acciones en el pasado. Los hermanos de José lo vendieron a la esclavitud. Ese acto vil de parte de los hijos de Jacob persiguió a Israel por muchos años. Pero ahora llega la palabra de seguridad, diciendo que todos los actos de traición y maldad han sido perdonados. Dios nos perdona cuando nos arrepentimos y pedimos un nuevo comienzo. Todos nosotros podemos ser limpiados.

2. No Más Temor. El temor no tiene que molestar nunca más al pueblo de Dios. Dios es nuestro hacedor. El se declara el esposo de Israel. Es el "guardián" de su pueblo. Dado que los hechos de Dios proveen para todas nuestras necesidades, no debemos nunca estar asustados. Como Israel experimentó las provisiones abundantes de Dios, así el Dios inmutable cuida hoy de su pueblo. ¡Su nombre es Señor de los ejércitos! Así como lo hizo en el tiempo de Elías cuando bendijo a una viuda pobre, él puede hacer que el aceite continúe fluyendo de cada recipiente y puede llenar cada envase vacío en la casa. Porque él es nuestro proveedor. ¡Esa verdad nos renueva!

III. DIOS NOS ASEGURA ACERCA DE UN PACTO ETERNO CON SU PUEBLO

1. Tenemos un Pacto de Misericordia. El versículo 9 de este capítulo nos recuerda del pacto que Dios hizo con Noé. Vino el diluvio. Después que las aguas se fueron, Dios proveyó un arco iris de promesa en el cielo. Ese arco iris dijo a Noé y a todas las generaciones sucesivas que Dios nunca destruiría de nuevo al mundo por medio del agua. El brillante arco iris permanece como un símbolo y recordatorio de la misericordia de Dios que no falla.

Aún hoy, cuando vemos un arco iris que cruza el cielo, podemos recordar lo que dice Isaías 54:9 en cuanto al relato de Génesis acerca del arco iris de la promesa. Las misericordias de Dios se extienden hacia nosotros para darnos renovación.

2. Tenemos un Pacto de Paz. Isaías menciona en el versículo 10 de este capítulo que las montañas de Jerusalén pueden moverse y las colinas pueden ser quitadas. Pero aun si un terremoto alcanzara las proporciones de hacer que la tierra alrededor de Jerusalén desapareciera, Dios dice que él no dejará que su misericordia ni el pacto de su paz sean destruidos.

¿Nos da Dios realmente una paz dentro de nuestros corazones que no puede ser quitada de allí? La respuesta a esta pregunta retórica es "¡Sí!" ¡El "pacto de paz" de Dios es nuestro! El saber esta verdad significa que tenemos una renovación espiritual que vibra a través de todo nuestro ser. Juan 14:27, Filipenses 4:7 e Isaías 26:3 nos recuerdan de la paz de Dios que nos trae renovación.

V. DIOS NOS HACE HERMOSOS E INVALORABLES

¡El puede ciertamente darnos una nueva "autoimagen"! Si hemos sido afligidos, atormentados y sacudidos por la descripción de este capítulo 54 de Isaías, ¡eso también puede llegar a un fin!

1. El Señor Nos Da Belleza. Esa es una noticia que entusiasma. El texto dice que Dios cimentará "tus piedras sobre carbunclo, y sobre zafiros te fundaré. Tus ventanas pondré de piedras preciosas, tus puertas de piedras de carbunclo, y toda tu muralla de piedras preciosas." No tenemos que hablar con un experto en gemas para entender la belleza de estos textos. El hecho es que Dios nos "embellece" dándonos renovación. Necesitamos mirar de nuevo la manera en que Dios nos mira y hace su obra en nuestras vidas.

2. Dios Nos Hace Valiosos. ¡Somos valiosos! ¿Alguno ha mirado últimamente los precios de los diamantes y zafiros? Su precio está "fuera de alcance" para la gente común. Si alguno de nosotros fuera el propietario de una mina de diamantes no estaría viviendo en el nivel de pobreza.

En lo espiritual, somos "ricos". Nadie se considere una "baratija". Si dejamos que Dios haga su obra en nuestros corazones, nuestro valor alcanza un valor infinito. Jesús dijo a sus seguidores que no debían temer, porque la voluntad del Padre era darles el reino, un reino de riqueza, gloria y belleza. El Salvador nos recuerda que el alma es de más valor que todo el universo físico. Usted y yo somos invalorables. Conocer esta verdad nos renueva, ¿no es así?

VI. DIOS NOS PROTEGE

La verdad de que Dios es nuestro defensor y protector nos dará nuevo valor y renovación. El versículo final de este capítulo dice que "ninguna arma forjada contra ti prosperará". Ni aun Senaquerib podía destruir a Jerusalén (Isaías 38). Dios dice que él hizo al herrero que sopla las ascuas en el fuego y que saca las herramientas para su trabajo (Isaías 54:16). Dios tenía el control último sobre aquellos que se levantaban contra el pueblo de Dios. El es nuestro Padre justo que cuida de nosotros hasta que vayamos a la gloria con él. Esto nos renueva para pensar lo que Dios hace por nosotros. Ni aun el terrorismo ni las fuerzas destructivas pueden prosperar por mucho tiempo. Dios se encargará de eso. Pero su pueblo vivirá para siempre.

Podemos cantar: "¡Gloria, gloria, aleluya, Jesús es el Señor!" La renovación está en camino. Esta no es la hora de retirarse. Es nuestro tiempo de bendición, esperanza y ayuda. Vamos hacia adelante a la nueva vida, porque estamos establecidos en la justicia de Dios.

DATOS PARA EL ARCHIVO:

Fecha:_____

Ocasión:_____

Lugar:_____

21
¿CUAN GRANDE ES SU DIOS?

¡Oh Señor Jehová! he aquí que tú hiciste el cielo y la tierra con tu gran poder, y con tu brazo extendido, ni hay nada que sea difícil para ti. . . He aquí que yo soy Jehová, Dios de toda carne; ¿habrá algo que sea difícil para mí? — Jeremías 32:17, 27.

La verdad es que Dios es demasiado pequeño y sin importancia para la mayoría de la gente. Podemos entender por qué algunos no tienen un Dios que es grande y todopoderoso. Una razón es que muchos conocen a Dios sólo "de oídas". Ellos no tienen un conocimiento de Dios de primera mano, y consecuentemente algunos están limitados en su comprensión de Dios. Hay quienes son casi extranjeros en cuanto a la Biblia. Casi todos tienen una copia de la Biblia, pero muchos nunca la leen ni la estudian. La mayoría de la gente simplemente no permite que Dios posea sus vidas. Ellos reservan sus cuerpos como propiedad personal y no quieren que Dios los tenga como su templo. Tampoco dejan que Dios tenga sus mentes y todo su ser. Por ello, Dios permanece pequeño para esa gente.

Sin embargo, miremos lo que Jeremías dice en cuanto a Dios. El es Señor. Nada es imposible para él. El es infinito. ¡El es todo! Dios es ciertamente Dios. ¡Podemos tener un Dios que es suficientemente grande!

I. DIOS ES EL SEÑOR DE LA CREACION

Una y otra vez Jeremías declara que Dios es el creador. Este profeta, que vivió unos 600 años antes de Cristo, dice que Dios hizo los cielos y la tierra. La creación no fue imposible para Dios. Los dos textos para este mensaje enfatizan esta verdad.

Nosotros somos una parte de un universo infinito. Nuestro planeta es grande, más de 40.000 kilómetros para rodearlo. Tenemos un sol que está a más de 150 millones de kilómetros de distancia. La luz viaja a unos 300.000 kilómetros por segundo, y los rayos del sol tardan ocho minutos en llegar a la tierra. Nuestro sol es una estrella que es parte de la galaxia de la Vía Lactea o nuestro sistema de estrellas. Y nuestro sol es sólo una de las 100 millones de estrellas en nuestro sistema.

Los científicos dicen que por lo menos 100 mil millones de otras galaxias como la Vía Lactea están "allí". ¡Y nos dicen que nuestro universo conocido es tan grande que llevaría once mil millones de años luz cruzarlo!

¿Cómo llegó a existir el universo? ¿Fue por accidente o por evolución? No, Jeremías dice que Dios lo hizo. Moisés afirma la misma verdad. Y así lo hacen Isaías, David, Pablo, Jesús y prácticamente cada escritor de la Biblia. Dios es suficientemente grande para ser el Señor de la creación. El doctor Karl Sagan, un astrónomo de renombre mundial así como otros científicos conocidos, dudan de que nuestro "Dios benigno" pudiera haber hecho este universo. Usted y yo por la fe, sabemos algo mejor. Nuestro Dios es suficientemente grande para crearlo todo. La respuesta al debate sobre el comienzo de todas las cosas está bien resumida por el autor de Hebreos (11:3): "Por la fe entendemos haber sido constituido el universo por palabra de Dios. . ."

II. DIOS ES EL SEÑOR DE LA SALVACION

El nombre "Jehová" significa "Salvador". ¿No redimió él a Jeremías? Y el profeta cuenta cómo Dios liberó a Israel de la esclavitud en Egipto. Egipto tenía poderío militar y los hebreos no tenían nada. Sin embargo, en el capítulo 32 de Jeremías se nos dice que Dios sacó a su pueblo de la cautividad. El es el Señor de la salvación. Jeremías escribe acerca del nuevo pacto, refiriéndose a Cristo y a la cruz. Por medio de la muerte y de la resurrección de Jesús, Dios nos ha dado nuestra salvación. ¡La verdad que proclamamos es maravillosa!

George Muller vivió algunos años de una vida rebelde e indecente. Antes de llegar a los diez años de edad ya era un ladrón. Su padre lo envió para que fuera "confirmado" por un pastor luterano cuando George tenía doce años, pero el muchacho robó la mayor parte del dinero que su papá le había dado para que él pagara por la confirmación antes de ver al predicador. Muller contrajo enfermedades venéreas cuando tenía dieciséis años. A los diecisiete años estuvo en la cárcel, y ya parecía un borracho sin esperanzas. A los diecinueve años, George Muller se convirtió en un gran siervo del Señor en Inglaterra. Dirigió un orfanato para 2.000 a 4.000 niños por cuarenta años, sin pedir jamás dinero a nadie. Por medio de la fe presentó sus necesidades a Dios y el Señor le respondió. Si Dios salvó a una persona como George Muller, él todavía hoy puede hacerlo. El es el Señor de la salvación que quiere transformar tu vida y la mía.

III. DIOS ES SUFICIENTEMENTE GRANDE PARA SER EL SEÑOR DE LA SANTIFICACION

En el primer capítulo del libro de este profeta, Dios dijo a Jeremías que él lo había santificado o apartado para su servicio aún antes de su nacimiento. Jeremías no estaba contento con ese informe; fue un profeta que no quería serlo. El no corrió hacia Dios, diciendo: "¡Estoy contento que me elegiste!" ¡Más bien, él se quejó! A pesar de todo, Dios lo eligió y llenó con su gloria y poder para el trabajo que Dios quería que hiciera.

Cierta vez, un violinista llegó a un pueblo para un concierto. El auditorio estaba lleno de gente que venía a ver y escuchar la música que tocaba en un famoso violín Stradivarius, que costaba miles de dólares. La audiencia estaba embelesada con la música, aplaudiendo y aplaudiendo. Luego el violinista se subió a una mesa con el violín, lo levantó y lo rompió en mil pedazos. ¡La multitud se quedó boquiabierta! Luego el violinista caminó detrás de la cortina y tomó el verdadero violín Stradivarius y tocó nuevamente para asombro de todos los presentes. El secreto de la música estaba en el violinista, no en el instrumento.

Dios puede hacer que su mensaje se transmita por medio de algunos de nosotros que somos "instrumentos pobres", tanto como de los refinados. Podemos orar y visitar, podemos dar comida, ropa y el evangelio, podemos animar a otros, simplemente porque Dios dice: "Yo quiero usarte en mi servicio." La pregunta es: "¿Queremos que él lo haga?"

IV. DIOS ES EL SEÑOR DEL ANIMO

La mayoría de nosotros necesitamos motivación e inspiración. Dios es suficientemente grande para animar, fortalecer y ayudar a su pueblo. Jeremías necesitaba ayuda. Lo pusieron en la cárcel y lo arrojaron a una cisterna para que muriera. Fue golpeado por los gobernantes de su tiempo. A menudo se sintió rechazado y solitario. ¿No nos hemos sentido todos como Jeremías algunas veces? ¿No necesitamos todos que alguien nos dé nueva vida, nos anime, nos fortalezca?

1. Dios Nos Anima Por Su Consejo. Jeremías 32:19 dice que Dios es grande en consejo. La Biblia dice que sus ojos están sobre nosotros. ¡Esto me anima! Dios está presente para darme guía y dirección.

2. Dios Nos Anima Con Sus Recursos. Jeremías 32:22 dice que Dios dio a su pueblo una tierra "que fluye leche y miel." El nos da aun más en Cristo. Esto nos anima.

Nuestro Dios es suficientemente grande. El es el Dios de la creación, de la salvación, de la santificación y del ánimo. Podemos confiar en él. Podemos creer en él. Dios es suficiente para todos.

22

¿POR QUE DEBEN ORAR LOS CREYENTES?

Clama a mí, y yo te responderé, y te enseñaré cosas grandes y ocultas que tú no conoces — Jeremías 33:3.

Justo en el final de la Guerra Civil, Graham Bell llegó a Estados Unidos. El se había graduado de la Universidad en Edimburgo, Escocia, y del University College en Londres. Poco después de su llegada a los Estados Unidos, Bell inventó el teléfono. El sistema telefónico Bell fue registrado en 1867, cuando Bell tenía sólo treinta años de edad. Sabemos el resto de la historia.

Hablamos con personas alrededor de toda la tierra por medio del teléfono. Alguien en Australia puede hablar con alguien en Texas. Una persona de España puede llamar a un amigo en Argentina. La NASA habla con aquellos que están en el espacio. Todos recogemos incontables beneficios del sistema de comunicaciones que llamamos teléfono.

Aun así, seguramente sabemos que Dios tiene un sistema de comunicación mucho mejor que cualquiera inventado por el hombre. Dios preparó el primer contacto de dos vías entre Dios y el hombre conocido como la oración. El creyente actual puede tener contacto con la "tercera dimensión" del mundo espiritual sin tener que pagar "facturas de larga distancia". El hombre puede comunicarse con el Dios eterno. El significado del texto en Jeremías 33:3 es que debemos orar. ¿Por qué debemos orar?

I. DEBEMOS ORAR PORQUE DIOS NOS INVITA A HABLAR CON EL

1. Dios Siempre Tiene las Puertas Abiertas. En los primeros versículos de este capítulo de Jeremías, Dios es identificado como el hacedor de todas las cosas. El es aquel que ha abierto para nosotros el camino a su propia "sala del trono". No osamos entrar en un banco y caminar directo a la oficina del presidente sin pedir primero permiso a su secretario. No podemos ir a la oficina del presidente de un país o el gobernador de un estado sin recibir primero permiso. Y, sin embargo, qué interesante es que Dios mantiene abiertas para nosotros las puertas del cielo en todo momento. Podemos orar al Señor. Podemos hablarle. Dios continuamente nos invita y nos anima a orar. Necesitamos que se nos recuerde esta invitación. Dios mismo dice "Clama a mí."

2. Dios Nos Quiere Dar Animo. A veces nos desanimamos y no sentimos que sea de valor el orar. Jeremías puede haberse sentido así. El servía a Dios como profeta. Sin embargo, durante su servicio fiel, Jeremías fue puesto en la cárcel. Fue tratado como un criminal común. Sufrió en una cisterna y hubiera muerto en el agua y el barro sin la intervención de Ebed-melec, el eunuco del rey. Luego, Jeremías estuvo en el patio del palacio, bajo "arresto domiciliario". Entonces se desanimó.

A veces nos desanimamos. La esperanza y el gozo desaparecen de nuestra vista. En un tiempo así, es difícil orar. De modo que Dios nos invita a orar justamente entonces.

3. Orar No Tiene Sustitutos. A veces usamos sustitutos para la oración. El doctor A. C. Dixon, de Inglaterra, dijo: "Cuando usamos la organización, logramos lo que la organización puede dar. Cuando usamos la educación, logramos lo que la educación puede dar. Pero cuando usamos la oración, ¡logramos lo que Dios puede darnos!" Y, sin embargo, a veces sustituimos la oración por muchos buenos aspectos de la vida cristiana. Podemos estudiar, visitar, trabajar, tener conferencias, llamar a otra gente, y buscar ayuda de muchas otras fuentes. Pero más que cualquier otra cosa, necesitamos orar.

4. No Hay Ocupación Más Importante. A veces podemos llegar a estar demasiado ocupados como para orar. Jeremías puede no haber tenido nunca ese problema, pero muchos de los "profetas" que Dios tiene hoy sienten que ellos (nosotros) están demasiado apurados para pasar una hora por día en oración. Quizá nuestras prioridades están mezcladas. Puede que perdamos mucho por tener una vida de oración tan frágil. Dios nos dice que podemos clamar a él. La oración es lo más importante en la vida.

II. DEBEMOS ORAR PORQUE DIOS RESPONDE A LA ORACION

El texto dice: "Y yo te RESPONDERE." Esas son palabras de Dios, no del hombre. Dios nos asegura que él oirá nuestra oración. Sin embargo, debemos cumplir sus condiciones.

1. Debemos Creer en El. Debemos conocer quién es Dios. Hebreos 11:6 afirma que Dios es el hecho central más grande de la vida y la eternidad. Debemos confiar en Dios por lo que él es.

2. Debemos Tener un Corazón Puro. En Salmos 66:18 se dice: "Si en mi corazón hubiera yo mirado a la iniquidad, El Señor NO me habría escuchado." "Mirar" significa observar con favor y placer. De modo que debemos ser rectos para con Dios. A veces la luz no llega a una sala aunque la lamparilla esté bien y haya energía en el edificio. Un "cortocircuito" detiene el fluir de la electricidad. El pecado impide que llegue la respuesta de Dios.

3. Debemos Entender Que Sí Responde. Dios nos responderá en el momento oportuno. El puede prometernos una respuesta, pero puede retrasarla. Un niño puede pedir por un dulce. El padre o abuelo dice "sí". El niño quiere el dulce en el momento inadecuado, puede que justo antes de comer, y nosotros le decimos: "Sí, pero espera." El tiempo de Dios nunca está equivocado.

4. Debemos Orar de Acuerdo con Su Voluntad y Para la Gloria de Dios. Un niño cierta vez oró: "Querido Dios, permite que París sea la capital de Italia, porque así lo escribí en mi examen de historia." Parte de nuestras oraciones puede errar como esa. Y, a veces, aquello por lo que oramos puede que no sea para la gloria de Dios. Pero cuando oramos en la manera correcta, Dios RESPONDERA.

III. DEBEMOS ORAR PORQUE DIOS OBRA PODEROSAMENTE EN FAVOR NUESTRO CUANDO ORAMOS

Mire de nuevo el texto. Dios dice: ". . . y te enseñaré cosas grandes y ocultas que tú no conoces." Dios dijo a Jeremías que vendrían sorpresas "después de orar".

1. Dios Mostrará su Poder. Dios nos mostrará que él restaurará y redimirá a su pueblo. Lea los capítulos 32 y 33 de este gran libro. Dios prometió bendiciones sobrenaturales a su pueblo esparcido y enfermo. El les traería nuevamente a "la tierra". ¡Y él lo hizo!

¿Queremos que Dios nos restaure? ¿Que nos redima? ¿Que nos reavive? ¿Lo necesita nuestra iglesia? ¿Lo necesita nuestra tierra? ¿Puede Dios hacerlo? El dijo que sucederían milagros. Tenemos un Dios "obrador de maravillas".

2. Dios Se Nos Revelará. Jeremías conocía a Dios. Pero Dios se mostraría en una plenitud mayor. Eso es lo que nosotros necesitamos. Sobre toda otra cosa, necesitamos ver el descubrimiento que Dios hace de sí mismo en su gracia. . . su poder. . . su perdón. . . su gloria.

3. Dios Responde a la Oración. El nos invita a orar. Dios dará la bienvenida a nuestro nuevo compromiso para una vida de oración. El texto nos recuerda esta verdad permanente: "Clama a mí." ¿Estamos listos para movernos hacia una vida de oración que entusiasme? Ahora es el mejor momento para comenzar.

DATOS PARA EL ARCHIVO:

Fecha:_____

Ocasión:_____

Lugar:_____

23
LA MANERA DE TESTIFICAR

Oh hijo de hombre, yo te he puesto por atalaya a la casa de Israel... los amonestarás de mi parte — Ezequiel 3:17.

Un ganadero se goza en "mostrar" su hermoso ganado en su campo bien regado. Una joven no tiene dificultades en levantar su brazo izquierdo y "lucir" los dedos de su mano cuando recién ha recibido de su novio un deslumbrante anillo de diamantes. Todos nosotros estamos orgullosos de aquello que enriquece la vida y agrega significado y valor a aquellos que nos rodean.

Dado que Dios hace tanto por nosotros, debemos hablar acerca de él. Necesitamos hablar de su poder salvador y de todas las bendiciones que vienen a aquellos que confían en él. El mensaje que recibió el profeta Ezequiel de Dios, se relacionaba con el tema del testimonio.

Repasemos un poco del trasfondo de la vida del profeta. En 597 a. de J.C., el ejército de Babilonia bajo Nabucodonosor viajó hasta Jerusalén. Ellos llevaron alrededor de 7.000 dirigentes de Jerusalén como esclavos a Babilonia (Irán e Irak de hoy). Un joven de nombre Ezequiel marchó en el grupo de los cautivos. Cinco años después que llegaron a Babilonia, Dios llamó a Ezequiel para que fuera un profeta. El Señor se apareció a aquel joven de treinta años, Ezequiel, por medio de visiones extraordinarias. Dios permitió que su nuevo predicador conociera que él predicaría a los otros hebreos que le rodeaban y guardaría el nombre de Dios delante de ellos. El Dios que llamó a Ezequiel para ser un predicador en 592 a. de J.C. está "tocándonos" y hablándonos acerca de la tarea suprema e importante de hablar a otros acerca de él. ¿Cómo hemos de testificar de acuerdo con Ezequiel?

I. HEMOS DE TESTIFICAR EN EL ESPIRITU

1. El Testimonio del Espíritu. Ezequiel hizo su trabajo bajo la influencia y dirección del Espíritu Santo. En el capítulo 3:12, el profeta escribe: "Y me levantó el Espíritu." Luego: "Me levantó, pues, el Espíritu" (v. 14). En el mismo versículo se da la descripción interesante de esta manera: "La mano de Jehová era fuerte sobre mí." Ezequiel no fue a su trabajo en su propia fortaleza, sabiduría o dirección. El dejó que Dios lo guiara. De hecho, Ezequiel escribe cincuenta y cinco veces en este libro acerca del Espíritu Santo que lo dirige. ¡Parece que Dios tenía el control de su vida! Una séptima parte de las referencias al Espíritu en el Antiguo Testamento se encuentra en este libro. La gloria del Señor estuvo sobre Ezequiel, entró en él y le dio un mensaje para que anunciara (v. 24).

1. Un Testimonio Fresco. Tendremos un testimonio fresco cuando testifiquemos en el Espíritu. A veces nos sentimos como una laguna estancada. Por lo menos, nos pasa a los predicadores, ¡y no nos gusta! No tenemos el "levántate y anda". Dios puede cambiar todo esto. Cuando le pidamos que el Espíritu Santo nos llene otra vez y nos equipe para la tarea, Dios lo hará.

Recordemos el tremendo capítulo 47 del libro de Ezequiel. El profeta vio un río que fluía desde el trono de Dios. Las aguas fluían lo suficiente como para cubrirlo todo, luego lo suficientemente profundo como para alcanzar las rodillas, luego la cintura y finalmente para poder nadar en ellas. La plenitud de ese río siempre fluyendo desde la presencia de Dios es suficiente para mantenernos frescos en nuestro testimonio en favor de Cristo.

3. Un Testimonio sin Temor. Tendremos un testimonio sin temor cuando testifiquemos en el Espíritu. Ezequiel hubiera estado mal equipado sin el Espíritu de Dios que da valentía. Pero cuando experimentó la plenitud de la presencia de Dios con él y la mano de Dios sobre él, Ezequiel se convirtió en un testigo poderoso para Dios. El Señor había ya dicho a aquel joven profeta hebreo que él tendría que predicar entre "zarzas y espinos, y. . . escorpiones. . . casa rebelde" (2:6). Aquello hubiera sido suficiente para borrarnos a todos nosotros del programa de visitación. Pero el Espíritu de Dios dio valentía a Ezequiel. El Espíritu Santo está listo para darnos también la valentía y quitarnos el temor.

II. HEMOS DE TESTIFICAR CON SIMPATIA

1. Un Mensaje para el Pueblo. Ezequiel dijo que vivía entre el pueblo. Luego una declaración sumamente interesante "salta" de la página: "Y me senté donde ellos estaban sentados" (v. 15). El vio a los miles de personas desterradas desde Jerusalén. El los vio después de la marcha cansadora de unos 1.500 kilómetros a través de las arenas ardientes. El los observó mientras se sentaban a la orilla del río y lloraban. Su corazón se quebrantó por ellos.

2. Un Mensaje para Gente en Peligro. Simpatizamos con aquellos que están en peligro espiritual. El pueblo del tiempo de Ezequiel no podía estar cierto acerca del mañana. Aunque a muchos se les había dado el privilegio de "establecerse" y hacer que Babilonia fuera su hogar, aún vivían en una tierra que podía atacar ferozmente a los extranjeros en cualquier momento.

Sabemos en cuanto al peligro del hombre perdido al que enfrenta hoy el cristiano. El "viejo enemigo" está todavía alrededor, "buscando a quién devorar". El príncipe de este mundo aún hace que la vida sea miserable para el hijo de Dios. En muchas tierras es peligroso ser identificado como cristiano. Aun cuando sea así, los no regenerados viven en peligro de la muerte eterna.

3. Un Mensaje para el Desesperado. Simpatizamos con aquellos que viven en desesperación. Probablemente nunca podremos imaginar el sentimiento que corría a través de las vidas de los padres y de los hijos que habían sido repentinamente desarraigados de su tierra natal y llevados a la cautividad. ¡Qué desesperación y desolación!

III. HEMOS DE TESTIFICAR CONTRA EL PECADO

Dios dijo a Ezequiel: "Los amonestarás de mi parte." El Señor es directo y claro. El dice que hemos de hablar en contra de los estragos que produce el pecado.

1. Porque el Pecado Es Engañoso. Debemos decirle a la gente esa verdad. Los hebreos fracasaron en tomar seriamente ese mensaje cuando vivieron en la Tierra Santa. Ellos creyeron que podían seguir en su idolatría y que nada les sucedería. Y, sin embargo, ¡el pecado los engañó!

2. Porque el Pecado Siempre Es Peligroso. Lo que parece bueno puede ser una red para nuestros pies y una trampa para nuestras almas. Las drogas engañan a millones y millones. El alcohol aniquila a aquellos que beben. La rebelión trae la ruina. El pecado engaña. Lo que parecía bueno para Adán y Eva en el paraíso llegó a ser la "destrucción" de la raza humana. ¡El pecado es tramposo!

3. Porque el Pecado Es Destructivo. Destruye al pecador. Dios dijo a Ezequiel: "El alma que pecare, esa morirá." Y otra vez: "La impiedad del impío será sobre él." El pecado que nos engaña pronto nos destruye.

IV. HEMOS DE TESTIFICAR CON O SIN EXITO

Dios dijo a Ezequiel que ellos podían oír o no. El profeta tenía una audiencia mezclada. Pero tenía que testificar a pesar de todo. Algunos aceptarán el mensaje de Cristo.

Hemos de testificar aun cuando algunos puedan no recibir el mensaje. Creemos que la Palabra de Dios cumplirá su propósito, como el Señor dijo que lo haría (Isaías 55:11). Hablemos a los ricos y a los pobres, a los jóvenes y a los ancianos. Testifiquemos y dejemos que Dios haga su obra en cada vida.

Todo esto nos anima y entusiasma. El pueblo de Dios es su testigo. Somos como "atalayas" en el muro. El mensaje de Dios nos ha sido entregado para que lo demos a todos aquellos que lo recibirán. Dios quiere que seamos fieles con su mensaje de vida eterna.

24

UNA FOTOGRAFIA TRIPLE
DE DIOS

Jehová es bueno, fortaleza en el día de la angustia; y conoce a los que en él confían — Nahúm 1:7.

Si usted alguna vez ha participado en alguna fotografía de grupo, sabrá que la primera figura a la que mirará es la suya. Es asombroso cuántas malas fotografías tenemos que arrojar a la basura. Esa es la razón por la cual los fotógrafos toman cinco o seis "tomas" de cualquiera que posa para una fotografía.

La Biblia es un libro de fotografías de Dios. Además, cada fotografía y obra en cuanto a Dios en las Sagradas Escrituras es verdadera. Ninguna es mala; todas son perfectas. En el libro de Nahúm, cuando el profeta habla en cuanto al juicio de Dios que está a punto de caer sobre la ciudad malvada de Nínive, el profeta escribe una "gema" acerca del Señor. El dice tres verdades en cuanto a Dios: El es bueno; él es una fortaleza; y él conoce a su pueblo. En este versículo podemos llegar a conocer realmente a Dios.

I. DIOS ES BUENO

El profeta Nahúm vivió y predicó unos 650 años antes de Cristo. El vivió probablemente en Asiria o Babilonia. Testificó el elevamiento y la caída de los líderes paganos en la tierra de la cautividad. Sabía acerca de la vileza y la corrupción de algunos de aquellos reyes y de sus ejércitos. Pero cuando Nahúm escribió acerca de los líderes malos, el profeta habló en cuanto a Dios como siendo bueno. Y Dios es bueno.

1. Por Su Naturaleza. La propia naturaleza de Dios nos dice que él es bueno. La Biblia nos dice una y otra vez que el corazón, la mente y el propósito de Dios son nada menos que buenos. La naturaleza de Dios es dar, perdonar el pecado, perdonar al pecador y recibir a todos aquellos que, por medio del arrepentimiento y la fe, vayan a él.

2. Por Sus Hechos. Los hechos de Dios testifican que él es bueno. El es el Señor de la creación. Yo creo que Génesis es cierto. Los primeros capítulos son fundacionales. Nuestra fe está fundada sobre aquellos primeros tres capítulos. Moisés escribe que Dios es el creador. En un famoso laboratorio espacial en California, los científicos anunciaron hace poco que habían encontrado una nueva galaxia que es dos mil millones de años más vieja que cualquier otra galaxia conocida. Esa, dicen ellos, está a once mil millones de años luz de distancia. ¡Bien, vayan allá, científicos! Tenemos un Dios que lo ha hecho todo.

3. Por Su Salvación. Y el Dios de la creación actúa en nuestro favor. El nos salva, redime y renueva en Cristo, por la capacidad y poder del Espíritu Santo. En el Calvario Dios realmente nos mostró lo bueno que él es. El dejó que su Hijo unigénito derramara su sangre para nuestra salvación. Eso es algo por lo que sabemos que Dios es bueno.

4. Por Sus Provisiones. Dios actúa en nuestro favor cuando él nos suple con cada ingrediente necesario para la vida día tras día. Charles H. Spurgeon, de Londres, hace un siglo sintió que necesitaba un lugar más amplio para predicar a las multitudes, de modo que pudieran oír la Palabra de Dios. La mayoría de sus treinta y cinco diáconos no creyeron que podrían edificar un lugar semejante. Spurgeon pidió que todos los que no creían que podrían cubrir las necesidades que se fueran. Seis hombres se quedaron para orar. No muchos días después Spurgeon recibió un giro por una cifra que probablemente serían 500.000 dólares en el dinero de hoy. El nunca supo de dónde vino, pero Dios lo hizo. Dios es bueno porque él actúa en favor de su pueblo.

II. DIOS ES UNA FORTALEZA

Esto es lo que dice el versículo 7. El es una fortaleza. Es un fuerte. Es un lugar de defensa para su pueblo. Proverbios 18:10 dice una poderosa verdad: "Torre fuerte es el nombre de Jehová."

1. Para los Que Necesitan Salvación. ¿Tuvo alguna vez alguna dificultad? Bien, el pecador perdido enfrentará muchas dificultades algún día, a menos que venga a conocer a Dios en la salvación por medio de Jesucristo. La verdad es que todos nosotros somos "culpables" de haber matado a Cristo. Y Dios nos dice que él es el lugar de redención para todos aquellos que se llegan ante él. Cualquiera que pueda ser la transgresión, vaya a él y viva. Dios ha provisto un lugar de seguridad para nosotros. El es nuestra fortaleza.

2. Para Vencer la Tentación. Dios es una fortaleza para aquellos que enfrentan la tentación. El puede protegernos y cuidarnos de toda forma de peligro. La tentación puede estar en el área del ego y orgullo, profanidad, ira, alcohol, juego, deshonestidad o relaciones ilícitas con otro; puede ser chisme, crimen, mentira, depresión, robo o drogas. Dios es nuestra fortaleza. Nosotros no podemos guardarnos, protegernos y cuidarnos a nosotros mismos, pero Dios puede hacerlo.

3. En Medio de los Desastres. Dios es una fortaleza para aquellos que tambalean o casi caen bajo algún desastre de la vida. Este libro de Nahúm está en el contexto de los días cuando Babilonia ejercitaba sus músculos y había comenzado a hacer grandes planes para el dominio y la conquista del mundo. Pronto Nínive, la capital de Asiria, caería bajo su poder. Y luego Jerusalén, algunos años más tarde, conocería la devastación del poder de su enemigo. Pero Nahúm habla acerca de la vindicación que Dios haría de su pueblo. Cuando venga el desastre, Dios estará con su pueblo, dice el profeta.

III. DIOS NOS CONOCE

Esa es la razón por la cual Dios es tan maravilloso. ¡Mire! El profeta dice: "Y conoce a los que en él confían." ¡Por supuesto que los conoce! No somos extraños para Dios. No somos piezas mal ubicadas en un rompecabezas gigante. Dios nos conoce.

1. Cuando Estamos Débiles o Asustados. ¿Alguna vez experimentó temor y depresión? La verdad es que los experimentamos. Nahúm debe haber estado abrumado por el poder tremendo del enemigo. Este profeta sabía acerca de Asurbanipal de Asiria, que capturó Tebas, en Egipto, en 663 a. de J.C. Aquel general de los fuerzas de Asiria quitó los miembros de los reyes e hizo que los príncipes llevaran colgadas a sus cuellos las cabezas de sus reyes decapitados. Los gobernantes de la antigüedad inventaban maneras crueles de tratar a sus enemigos. Cuando Nahúm vio y oyó todo aquello debe haberse atemorizado mucho.

2. Cuando le Fallamos. Dios nos conoce cuando le fallamos. Puede que no experimentemos la presencia abrumadora del Señor como lo hizo Nahúm. En un tiempo de debilidad podemos fallar a Dios. Podemos ser cobardes como lo fue Simón Pedro. Pero Dios nos conoce y trae a su pueblo de vuelta a él. El conoce cuando "bajamos y subimos."

3. Cuando Estamos Desorientados. Dios nos conoce cuando necesitamos su guía. El profeta necesitó guía en su predicación, en su escritura y en todas sus relaciones. ¡Nosotros también lo necesitamos! Dios nos conoce y consecuentemente él puede guiarnos en CADA área de la vida. El quiere hacer eso por cada uno de nosotros.

En medio de las perplejidades, las incertidumbres y las complicaciones de la vida, Dios aún vive. Podemos ir a él. El será el Señor de todos los que confían en él. Podemos descubrir que él es bueno, que él es nuestra fortaleza, y que Dios realmente nos conoce.

DATOS PARA EL ARCHIVO:

Fecha:_____

Ocasión:_____

Lugar:_____

25

DIOS AYUDA A SU PUEBLO

Y el ángel de Jehová estaba en pie — Zacarías 3:5.

Los hebreos eran el pueblo elegido de Dios. Debido al pecado, el Señor permitió que fueran llevados a la cautividad asiria en el año 722 a. de J.C. Luego el Reino del Sur, de las dos tribus, continuó pecando como lo había hecho el Reino hebreo "hermano" del Norte. Y en 587 a. de J.C. la nación de Babilonia quebrantó las puertas de Jerusalén y tomó cautivos a la mejor gente y a sus bienes.

Después que el pueblo de Dios había estado en cautividad por setenta años, Dios permitió que Ciro el Grande, de Persia, conquistara Babilonia. Pronto el rey Ciro comenzó a animar al pueblo de Dios a que regresara a su tierra. Zacarías estaba entre los primeros que regresaron. Muchos del pueblo llegaron a Jerusalén sólo para encontrar que todo estaba en ruinas. La ciudad tenía que ser reedificada, el templo tenía que ser reconstruido y la tierra puesta de nuevo en condiciones. Pero Dios no dejó que su pueblo luchara solo. El estuvo con ellos. Y por medio de uno de los profetas llamado Zacarías, el Señor dio un mensaje que es también un mensaje para nosotros. El mensaje es: Dios nos ayuda. Encontremos de qué manera lo hace.

I. DIOS NOS DICE QUE SIEMPRE ENFRENTAREMOS UN ENEMIGO

1. Un Enemigo Que Siempre Se Opone. Si pudiéramos pedir un deseo, sería que no tuviéramos oposición. No queremos una vida difícil. Queremos una "navegación suave", sin vientos de tormenta golpeando en nuestros rostros. Pero la vida no es así. El profeta Zacarías dijo que Israel tendría dificultades.

Satanás estuvo a la mano derecha del sumo sacerdote Josué (no el sucesor de Moisés). Satanás comenzó a hacer acusaciones contra Josué. El diablo estaba a la "mano derecha" de Josué, lo que significa la cercanía del malo. Satanás lucha por estar tan cerca como pueda. El está allí para resistirnos. Esto significa estar contra nosotros en nuestros trabajos para el Señor. El nos atacará y acusará en cuanto a todo. Satanás es nuestro oponente. ¿Por qué es esto cierto?

2. Un Enemigo Que Siempre Estorba. El diablo no quiere que la obra de Dios vaya adelante. El no quería que el sumo sacerdote Josué se ocupara en sus labores espirituales, ni Satanás quería que Nehemías y los otros hicieran su obra de reedificar el muro de Jerusalén. La estrategia y el plan de Satanás es impedir la obra de Dios. El libro de Nehemías y el de Zacarías relatan muchas de las acusaciones traídas contra el pueblo de Dios. Satanás quiere detener cualquier progreso que hagamos en favor de Dios.

3. Un Enemigo Que Destruye. El diablo quiere que nos deprimamos y entristezcamos. La gente que regresó de la cautividad observó las ruinas de los muros de la ciudad, del templo, de la ciudad y de la tierra misma, y se sintió abrumada por el dolor. El cuadro era más trágico que lo que nosotros podamos imaginar. La "Tierra Santa" había sido capturada por los babilonios setenta años antes. Durante aquella época, los vecinos invasores entraron en la tierra para desolarla y saquearla. Sólo los débiles y los inválidos, con pocas excepciones, habían sido dejados allí. El "residuo" no podía edificar ni proteger la tierra. De modo que los que volvieron contemplaron un lugar que los amargaba con desesperación. Satanás trata de tomar ventaja de cada mala situación para decirnos hoy: "¡No hay esperanzas! ¡No trates más!" Dios nos ayuda diciéndonos la verdad: "Entra y toma nuevamente la tierra y yo quitaré tus nubes de angustia y te daré la victoria." Sí, Dios nos anima. El está de nuestro lado y realmente quiere ayudarnos.

II. DIOS NOS AYUDA SIENDO NUESTRA DEFENSA Y PROTECCION

Aun cuando Satanás estaba cerca de Josué, el ángel de Dios también estaba allí cerca. El ángel dijo a Satanás: "Jehová te reprenda, oh Satanás; Jehová que ha escogido a Jerusalén te reprenda." Dios sólo permite que el diablo actúe hasta cierto punto. El detuvo al diablo cuando el maligno trató de impedir el trabajo de Josué.

En *El Progreso del Peregrino* de Bunyan, Cristiano y Temeroso viajaban juntos por un camino. Delante de ellos vieron a dos leones enojados y rugientes. Cuando los leones rugieron, Temeroso se volvió. El volvió atrás; Cristiano continuó adelante. Los leones podían sólo ir hasta el borde del camino, y no más cerca, porque tenían fuertes cadenas que les sujetaban. El diablo puede asustarnos, pero él sólo puede hacer aquello, porque Dios es nuestro defensor y protector. El ángel de Dios está cerca para reprender al diablo.

Dios es nuestra defensa porque somos su pueblo elegido. "Jehová que ha escogido a Jerusalén te reprenda." Somos los elegidos y redimidos de Dios.

Dios nos cuida porque hemos sido comprados y redimidos por él. Somos "el deseo de sus ojos". Así como David, que iba tras un corderito tomado por un oso, así Dios va detrás del enemigo si ese enemigo quiere llevarnos. ¡Pertenecemos a aquel que es nuestra defensa y ayuda!

III. DIOS NOS AYUDA RECORDANDONOS QUE EL YA NOS HA SALVADO DE LA DESTRUCCION

El versículo 2 señala esta verdad: "¿No es éste un tizón arrebatado del incendio?" Su pueblo había sido rescatado por el Señor de gloria. Amós 4:11 dice nuevamente que Dios ha salvado a su pueblo de la cautividad porque ellos son como "tizón escapado del fuego." El compara su rescate con la historia de Génesis 19, con el rescate de Lot de las ciudades malvadas de Sodoma y Gomorra. Todos habían sido como "tizón escapado del fuego." Encontramos la misma idea en el libro de Judas. La verdad gloriosa es que Dios nos ha librado de la destrucción. El infierno no es el hogar futuro del creyente; ¡es el cielo! Dios nos ayuda asegurando a su pueblo en cuanto a los días gloriosos que hay por delante.

IV. DIOS NOS AYUDA DICIENDONOS QUE LO CORROMPIDO SERA PURIFICADO

El sumo sacerdote Josué estaba vestido con "vestiduras viles". El estaba delante de la presencia del Señor en vestimentas que no eran adecuadas para los sacerdotes. Dios dijo que se quitara sus vestimentas viles. ¡Dios proveyó vestimentas nuevas! Un cambio de vestimenta. Dios dijo: "Mira que he quitado de ti tu pecado."

Los redimidos de Dios llegan a estar enredados con el mundo, la carne y el diablo. Necesitamos ser purificados. Dios lo hace por nosotros. Dios quita nuestra corrupción. Oh, ¡vuelva al Señor! Dios no nos reprenderá. El nos aceptará, perdonará y bendecirá.

El purificado puede andar en los caminos del Señor y servirle (v. 7). El Dios eterno nos invita a ser parte de su gran séquito de empleados. No tenemos que cruzar piquetes de huelga, no tenemos que preocuparnos por nuestros salarios, ni necesitamos preocuparnos por la ancianidad y los años de jubilación.

El purificado puede andar en los caminos de Dios y tener compañerismo con él y con su pueblo (v. 7). Todos nosotros llegamos a estar solos y necesitamos compañerismo. El mejor compañerismo del mundo está en el lugar donde Dios está obrando.

DATOS PARA EL ARCHIVO:

Fecha:_____

Ocasión:_____

Lugar:_____

26

¿CUANDO CONTESTA DIOS NUESTRAS ORACIONES?

Pedid, y se os dará; buscad... llamad... Porque todo aquel que pide, recibe; y el que busca, halla; y al que llama, se le abrirá — Mateo 7:7, 8.

La mayoría de nosotros oramos en un tiempo o en otro. Y aun, muchos cristianos sienten que sus oraciones no tienen respuesta. ¿Cómo nos sentiríamos si tuviéramos una respuesta a todas nuestras oraciones? Las tenemos, ¿no es así? Dios actúa en relación con la oración. Sus respuestas pueden ser "no", "espera" o "sí". Jesús respondió a los pedidos de otros. Leemos el relato en Juan 11 acerca de Jesús cuando fue a la tumba de Lázaro, que había estado muerto por cuatro días. El oró y llamó a Lázaro que saliera de la tumba, y él lo hizo. Aquella fue una respuesta a una oración grande y poderosa. Y Dios puede responder a nuestras oraciones si ellas son tan grandes como una montaña o tan pequeñas como las hagamos.

Se pueden mencionar muchos pasos para lograr respuestas a las oraciones, pero miremos a los tres pasos que, si son seguidos realmente en nuestras oraciones, harán que nuestras oraciones sean respondidas:

I. DIOS RESPONDE A LA ORACION CUANDO PERSISTIMOS EN LA ORACION

¿Esto significa que debemos orar acerca de un pedido específico más de una vez? Sí, eso es. Muy frecuentemente dejamos de orar sin ir nuevamente una segunda y una tercera vez. En Mateo 7:7, 8, Jesús dice realmente: "Continúa pidiendo... continúa buscando... continúa golpeando." ¿Qué les parece si ponemos en práctica el plan P. B. G.? Pidiendo, Buscando, Golpeando. El dice que la respuesta viene si no paramos, sino que persistimos en la oración. ¿Por qué orar una y otra vez?

1. Persistir con Seriedad. Necesitamos persistir en la oración para mostrar que realmente somos serios en cuanto a nuestro pedido. Si no tomamos un "no" como respuesta, Dios ve que realmente estamos interesados. En el pasaje paralelo en Lucas 11, Jesús nos cuenta acerca de un hombre que va a su vecino tarde en la noche para pedirle tres panes prestados. El llama y dice que alguien ha llegado a visitarle y que el visitante necesita pan para comer antes de ir a dormir. El hombre golpea en la puerta del vecino. Al principio, el vecino "lleno de sueño" no quiere levantarse. Pero dado que los golpes continúan y temiendo que todos en la casa se despierten, el hombre se levanta y le da el pan al vecino. Y Jesús dice que si continuamos clamando ante Dios, él responderá. ¿Quiere usted en serio que Dios sane a alguien de su familia? ¿Necesita un trabajo o un aumento en su sueldo? ¿Quiere que su iglesia crezca? Entonces, muestre a Dios que usted quiere eso persistiendo en la oración.

2. Persistir a Pesar de los Obstáculos. Necesitamos persistir en la oración para vencer los obstáculos que pueden estar en el camino de las respuestas. Tenga en mente el texto: "Pedid... buscad... llamad." Si usted está orando por una determinada persona o familia para que venga al estudio bíblico o al culto, ¡continúe con esa oración! Alguien puede llegar a visitar a la persona que usted quiere que venga a la iglesia justo antes de la hora de la reunión. De modo que siga orando para que Dios pueda vencer todos los obstáculos. O puede que la persona sienta un tremendo dolor de cabeza al venir en camino o justo a la hora del culto. Continúe orando a Dios para que impida al diablo el poner piedras en el camino.

Tenemos una historia fabulosa acerca de esta clase de problemas en el capítulo 10 de Daniel. El profeta había estado orando por tres semanas —¡veintiún días! Eso es oración continua. Dios envió a un mensajero del cielo para hablarle a Daniel en cuanto al fin de la historia. Daniel continuó esperando una respuesta. En el día veinticuatro del mes llegó el mensajero. Dijo a Daniel que él hubiera llegado antes, pero que el diablo ("el príncipe del reino de Persia") lo detuvo. Finalmente, Dios envió al ángel Miguel para ayudar al mensajero, y ambos vencieron a Satanás, de modo que el mensajero pudo llegar. Continúe orando para que se quiten los obstáculos que impiden o hacen que nuestras oraciones no sean contestadas.

II. DIOS RESPONDE A LA ORACION CUANDO SOLUCIONAMOS EL PROBLEMA DEL PECADO

Así como el agua no correrá libremente por una cañería que está obstruida o se ha congelado, así las respuestas a la oración no llegan cuando la vida está llena de pecado. En Salmo 66:18, 2 Crónicas 16:9 y Mateo 5:48 se habla mucho acerca de la necesidad de una vida santa. Solucione el problema del pecado.

1. El Pecado de la Duda. El pecado de la duda necesita ser solucionado. Mateo 21:22 dice que Dios nos responde cuando creemos. Pero la duda es a menudo nuestro problema. Jueces 6:36-40 cuenta la gran historia de Gedeón y sus dudas acerca de que Dios pudiera usarle. Pero la "experiencia del vellón" quitó sus dudas y llegó la victoria. Podemos conquistar nuestras dudas.

2. El Pecado del Orgullo. El problema del orgullo necesita ser solucionado. Si miramos hacia abajo a otros o nos sentimos mejor que otros, Dios no responderá a nuestras oraciones. En Lucas 18:9-14 leemos en cuanto a un fariseo que no alcanzó la respuesta a sus oraciones, pero el publicano sí lo logró. Este último no tenía el problema del orgullo.

3. El Pecado de la Impureza. El pecado de la impureza moral necesita ser solucionado. La Biblia dice: "absteneos de toda especie de mal." Hemos de ser limpios. Dios no puede dar una respuesta o derramar sus bendiciones sobre vasos indignos.

4. El Pecado de No Perdonar. El problema de la falta de perdón debe ser solucionado. No debemos ni aun permitirnos detenernos o "estacionar" y pagar la tarifa para la falta de perdón, amargura, revancha, odio o envidia. Jesús dice que hemos de perdonar una y otra vez. Esté preparado para vivir con el espíritu perdonador, de modo que no pueda contar las veces en que una persona es perdonada por usted. Y hay un largo camino que andar en la "avenida del perdón".

III. DIOS RESPONDE A LA ORACION CUANDO DIOS ES GLORIFICADO POR MEDIO DE LAS RESPUESTAS A NUESTRAS ORACIONES

Jesús nos dice en Juan 14:13 que Dios debe ser honrado o glorificado por medio de su Hijo si la oración ha de ser contestada: "... que el Padre sea glorificado en el Hijo."

Cuando oramos por nosotros mismos, debemos hacerlo de forma que el resultado final sea que Dios será glorificado. Podemos querer riqueza, pero si eso nos aleja de Dios, el Señor puede dejarnos vivir en pobreza. Si queremos salud, Dios puede darnos enfermedad. ¿No hizo eso con el apóstol Pablo? En 2 Corintios 12:9 se dice eso. A veces Dios puede ser honrado y su nombre anunciado por medio de las circunstancias adversas.

Si usted necesita vida espiritual y el nuevo nacimiento, ore y pida a Dios por ello, y él responderá "en el acto". Si usted necesita orar en cuanto a una vida consagrada y rendida, puede tenerla si le entrega su vida a Dios. Dios lo pondrá en el lugar que necesita estar cuando usted ore. Dios responderá a la oración.

DATOS PARA EL ARCHIVO:

Fecha:_____

Ocasión:_____

Lugar:_____

27

¿COMO RECIBE LA PALABRA DE DIOS?

He aquí, el sembrador salió a sembrar. Y mientras sembraba, parte de la semilla cayó junto al camino... en pedregales... entre espinos... Y parte cayó en buena tierra... — Mateo 13:1-9.

La mayoría de nosotros sabemos algo acerca de plantar una semilla en un cantero, jardín o granja. Es necesario preparar la tierra para que la planta brote, crezca y dé fruto.

En el pasaje de Mateo 13 y en su paralelo en Lucas, Jesús nos relató una parábola acerca de plantar las semillas. Muy pronto descubrimos que el problema de la historia no es la semilla, sino la tierra. Y lo mismo sucede con el hecho de sembrar la Palabra de Dios. La semilla es perfecta. Si aparece alguna dificultad, ésta está en el corazón del hombre. La manera cómo recibimos la Palabra de Dios determina lo que va a suceder en nuestras vidas.

I. ALGUNAS PERSONAS NO RECIBEN LA PALABRA DE DIOS

Los que rechazan la Palabra de Dios tienen sus corazones endurecidos e indiferentes. No permiten que la Palabra de Dios entre en la vida. En la parábola que relató Jesús, el sembrador echó la semilla y parte de ella cayó "junto al camino". Esta es una tierra buena, pero ha sido aplastada y pisoteada por los pies de los hombres. Cuando el corazón del hombre es semejante a esto él rechaza recibir el mensaje de Dios.

El mensaje de arrepentimiento debe "romper" nuestros corazones, pero a menudo el corazón permanece tan duro como el granito. En los días de Noé, 120 años de predicación en cuanto a la condenación y destrucción no cambiaron al hombre. Pablo predicó ante Félix, un gobernador romano, el mensaje del arrepentimiento (Hechos 24:24, 25). El gobernador tembló, pero no cambió. Juan el Bautista predicó el arrepentimiento. Muchas personas se convirtieron; muchas no lo hicieron. De esta misma manera responde el hombre hoy. El mensaje del arrepentimiento quebranta algunos corazones mientras otros se endurecen por este llamado al arrepentimiento. ¡Corazones duros! "Porque el hombre natural no percibe las cosas que son del Espíritu de Dios, porque para él son locura" (1 Corintios 2:14).

II. ALGUNAS PERSONAS RECIBEN LA PALABRA DE DIOS TEMPORARIAMENTE

La semilla de la parábola de Jesús cae sobre terreno rocoso. Crece rápidamente, pero pronto muere. No tiene profundidad.

El texto señala al oyente que recibe la semilla con alegría: "al momento la recibe con gozo." Vemos muchas veces esta clase de respuesta emocional en campañas cuando un predicador famoso viene a la ciudad. Los pasillos se llenan con gente que aplaude lo que sucede. Jesús vio que sucedía de vez en cuando. Las multitudes le oyeron predicar muchas veces, pero su naturaleza superficial y su falta de compromiso y profundidad no permitieron que la palabra permaneciera.

El texto señala al oyente que tiene dificultad en retener la Palabra de Dios. Así como el terreno rocoso puede recibir la semilla por un tiempo, así algunos oyentes no tienen profundidad espiritual para la Palabra de Dios, y ésta no echa raíces en sus vidas. En Mateo 13:21 leemos que "al venir la aflicción o la persecución por causa de la palabra", la persona se aparta.

En *El Progreso del Peregrino* de Bunyan está el relato de Cristiano y Flexible, en camino hacia la Ciudad Celestial. Ellos se regocijaban por las perspectivas que les esperaban. Repentinamente, ambos caen en la Caída del Abatimiento. Flexible se ofendió. El finalmente logra salir y vuelve a la Ciudad de la Destrucción. El había sido un oyente emocional que comienza, pero fracasa y cae. Algunos son seguidores temporarios.

III. ALGUNAS PERSONAS RECIBEN LA PALABRA DE DIOS EN MEDIO DE INTERESES EN CONFLICTO

Leemos acerca de la semilla que cae entre los "espinos". Y esos espinos "ahogaron" las plantas. Considere a los "espinos" que matan a las plantas tiernas.

Los espinos de los problemas ahogan la Palabra de Dios para mucha gente. La semilla brota y la planta crece, pero no puede llegar a ser productiva. Estos problemas son "el afán de este siglo", que menciona Jesús.

Jesús un día visitó el hogar del "trío famoso" en Betania. Mientras Marta "se preocupaba con muchos quehaceres", su hermana María se sentó a los pies de Jesús y se benefició de su presencia. "Preocupación" es una gran palabra. Significa "cargado, absorto en o saturado con". La casa, muebles, autos, nietos, playas y lagos, pesca y caza —sí, "el afán de este siglo" puede ahogar la Palabra de Dios.

Los espinos de las posesiones pueden ahogar la Palabra de Dios. Jesús las llamó "el engaño de las riquezas." Hemos llegado a estar demasiado preocupados con las cosas de la vida. Todos nosotros tenemos que tener algún dinero. Pero es el "engaño" de las riquezas el que es peligroso. Jesús dice: "No os hagáis tesoros en la tierra" (Mateo 6:19). Más bien, ¡el Señor dice que ponga sus ahorros en circulación!

Los espinos del placer ahogan la Palabra de Dios. Lucas 8 habla en cuanto a esos placeres (v. 14). En su *Diario*, Juan Wesley cuenta acerca de una jovencita frívola que recientemente había llegado de Irlanda al lugar donde él predicaba en Bristol. Ella escuchó atentamente el mensaje y casi llega a ser una cristiana. Pero luego la encontró un viejo amigo y no la vieron más. Los malos placeres aún engañan.

IV. ALGUNAS PERSONAS RECIBEN LA PALABRA DE DIOS Y LA GUARDAN

¿Está usted en esta área de "buena tierra", donde se siembra la Palabra de Dios? Es maravilloso estar en esta minoría. Estos llegan a ser fructíferos. Algunos a cien, otros a sesenta y otros a treinta por uno. Una "cosecha abundante" es el producto prometido a aquellos que reciben y guardan la Palabra de Dios. Hoy en Oriente hay cristianos por millones que son una prueba de que este pasaje es cierto. Ellos reciben la Palabra de Dios y la guardan. Dios los convierte en una cosecha abundante.

Esto puede ser cierto con cualquier persona.

No abandone. No desespere. La gracia de Dios puede cambiar todo en nuestros corazones y hacerlos receptivos y fructíferos. Abramos ampliamente nuestros corazones y recibamos ahora su Palabra.

DATOS PARA EL ARCHIVO:
Fecha:_____
Ocasión:_____
Lugar:_____

28

LAS MARAVILLAS
DE LA IGLESIA

. . . edificaré mi iglesia; y las puertas del Hades no prevalece-
rán contra ella — Mateo 16:13-19.

Usted y yo conocemos muchas de las "maravillas del mundo". Las cataratas del Niágara atrapan la atención de miles de personas cada año. Los Bosques Rojos de California permanecen como un hermoso recordatorio de la creación de Dios. Las montañas, valles, ríos, desiertos y el cielo lleno de estrellas, todos hablan de las maravillas del universo.

La gloria y maravilla de la iglesia debe ser destacada. La iglesia es única. El pueblo de Dios son aquellos en quienes vive y hace su obra el Espíritu del Señor. Jesús llamó a los apóstoles a estar con él. A mitad del camino en su ministerio terrenal, Jesús tuvo un retiro espiritual con los apóstoles en Cesarea de Filipos, unos pocos kilómetros al norte del mar de Galilea.

Estando ya ubicados en ese lugar les preguntó quién decían los hombres que era él. Los discípulos respondieron que algunos decían que era uno de los profetas. Cuando Jesús preguntó qué pensaban los discípulos-apóstoles, Pedro afirmó rápidamente: "Tú eres el Cristo, el Hijo del Dios viviente." Jesús dijo que sobre esa confesión de su mesianismo, él edificaría su iglesia. La iglesia es maravillosa. La iglesia es maravillosa debido a su fundador, su función y su futuro.

I. LA IGLESIA ES MARAVILLOSA DEBIDO A SU FUNDADOR

En el texto, el apóstol Mateo registra la declaración de Jesús mismo en cuanto al establecimiento de la iglesia. De hecho, los tres Evangelios sinópticos tienen el relato. En las palabras del texto, Jesús afirmó que él sería el fundador de la iglesia. Ese fundador espiritual es el Hijo de Dios que nos llena con maravilla, asombro y temor reverente. El es la "roca de fundamento", el fundamento último sobre el cual se edifica la iglesia. Jesús es la piedra angular elegida y preciosa (1 Pedro 2:6). Pablo dice que es el único fundamento de la iglesia (1 Corintios 3:11). Considere la maravilla del fundador de la iglesia.

1. La Humanidad de Jesús Es una Maravilla. El Cristo eterno se convirtió en un hombre. El era Dios en un cuerpo humano y común. Esta es la encarnación. El tenía un cuerpo humano de carne, sangre y huesos. No era un espectro, una mera alucinación. El gnosticismo docético no tiene una muleta para apoyarse. Los discípulos oyeron a Jesús, lo tocaron y comieron con él (1 Juan 1:1).

Jesús nació de la virgen María sin un padre humano (Lucas 1:34, 35; Mateo 1:23). El creció y maduró (Lucas 2:52). Fue bautizado por Juan el Bautista (Mateo 3:13). Fue tentado por Satanás (Mateo 4:1-10). Cumplió su ministerio de enseñanza, predicación y sanidad bajo la unción del Espíritu Santo (Hechos 10:38). Sufrió y murió bajo Pilato (Mateo 27). Jesús fue resucitado el tercer día después de su crucifixión. Su vida de treinta y tres años, con todo su desarrollo, es una prueba positiva de la humanidad de Jesús. Jesús obedeció a sus padres. Tuvo sed y se cansó. Predicó, oró, durmió y comió. Caminó y montó en un burro. Lloró y se regocijó. Vivió como un hombre perfecto. Fue un hombre real, el Dios-hombre.

2. La Divinidad de Jesús Es una Maravilla. Pedro declaró: "Tú eres el Cristo, el Hijo del Dios viviente." Tomás y los otros apóstoles vieron al Cristo resucitado. De la misma forma lo vieron más de 500 personas a la vez (1 Corintios 15). El hombre debe hacer más que admirar o aplaudir a Jesús. Debemos aceptarle.

La maravilla del fundador de la iglesia es su humanidad-divinidad. Era tan humano que nació de María en Belén; era tan divino que los ángeles vinieron y anunciaron su nacimiento. Jesús era tan humano que se perdió cuando tenía doce años; era tan divino que asombró a los líderes religiosos en el templo con su sabiduría. Jesús era tan humano que Juan el Bautista lo bautizó; era tan divino que Dios habló desde el cielo, mientras el Espíritu de Dios descendía sobre él, y el Padre decía: "Este es mi Hijo amado, en quien tengo complacencia."

Jesús era tan humano que subió a un monte y oró toda la noche; era tan divino que fue aquel por medio del cual Dios creó todas las cosas: las montañas, los océanos y todas las galaxias en el espacio. Jesús era tan humano que lloró ante la tumba de Lázaro; era tan divino que llamó a Lázaro nuevamente a la vida. Jesús era tan humano que murió en una cruz; era tan divino que al tercer día conquistó la muerte, para nunca más morir. La maravilla número uno de la iglesia es Jesús.

II. LA IGLESIA ES MARAVILLOSA DEBIDO A SU FUNCION

1. La Iglesia Debe Ser Edificada. Como cristianos, debemos saber cuál es nuestro deber y nuestro trabajo en el mundo. La iglesia debe ser edificada. Es decir, el pueblo de Dios debe ser fortalecido en la fe. Esa es la razón por la cual Jesús tuvo a sus discípulos tres años con él. Ellos necesitaban estudiar, aprender, entrenarse, crecer.

El aprendizaje y el entrenamiento es un proceso que dura toda la vida. Continuamos en el estudio bíblico, el compañerismo, el ayuno, la oración y el ministerio. Cristo quiere que crezcamos y seamos fuertes.

2. La Iglesia Debe Evangelizar. Jesús habló de "las llaves del reino". La predicación del evangelio es la llave del reino. Pedro tomó esas llaves y en el día de Pentecostés predicó a Jesús como crucificado y resucitado, y alrededor de 3.000 entraron en el reino de Dios. Felipe tomó esas llaves y cientos de samaritanos fueron salvos. Pablo tomó las llaves y, mientras predicaba, fundó iglesias por toda Europa y Asia. Podemos usar las mismas llaves del evangelio para abrir las puertas a fin de que los perdidos puedan llegar al Salvador.

3. La Iglesia Debe Exaltar al Señor. El es la cabeza. El ha de tener la gloria y el dominio sobre el mundo para siempre.

4. La Iglesia Debe Ser un Centro de Alabanza. Predicamos, cantamos, anunciamos, tenemos comunión y oramos. ¡Pero nunca nos olvidemos de alabar! Hemos de exaltar al Señor de la gloria. Hemos de hablar de sus actos poderosos. Hemos de hablar de Jesús día y noche, todo el año.

Si no le alabamos y levantamos nuestras voces para exaltar su nombre, algún otro lo hará. Yo quiero estar dentro en el trabajo de la iglesia. Hemos de estar equipados, hemos de evangelizar y debemos exaltar y alabar su nombre.

III. LA IGLESIA ES MARAVILLOSA DEBIDO A SU FUTURO

A veces preguntamos: "¿Qué va a suceder a la iglesia en un mundo como el nuestro? ¿Sobrevivirá, morirá o se marchitará?" Hay dos verdades que se pueden decir acerca del futuro de la iglesia.

1. La Iglesia Enfrentará Dificultades. Jesús habló a sus seguidores acerca de su propia muerte. El dijo que sus seguidores estarían a veces "como ovejas en medio de lobos". Algunos serían llevados a la muerte. Algunos serían heridos. Algunos sufrirían burla y serían abandonados. Seguir a Jesús no es una garantía de "salud y riqueza". Algunos no han estado leyendo los Evangelios. Algunos ignoran la historia del cristianismo.

Leemos en cuanto a Esteban, un hombre lleno de sabiduría y del Espíritu Santo, que fue apedreado y murió debido a su predicación (Hechos 7:51-56). ¿Recuerda lo que sucedió a Jacobo, que estaba en el "círculo íntimo" en encuentros cercanos con Jesús en varias ocasiones (el trío de Pedro, Jacobo y Juan —el Jacobo que era hermano de Juan, el apóstol amado; sí, Jacobo y

Juan, los dos pescadores de Galilea)? Bueno, la iglesia apenas había comenzado la "explosión evangelística" y Jerusalén todavía estaba con el entusiasmo de Pentecostés. En esa época Jacobo murió. El rey Herodes, en un día de primavera, poco después de la pascua, cortó la cabeza de Jacobo con la espada (Hechos 12:2).

Simón Pedro fue puesto en la cárcel. La historia nos dice que él murió en Roma, crucificado cabeza abajo alrededor del 65 d. de J.C. Jesús dijo que habría pruebas delante de nuestro camino. De hecho, todos los apóstoles, salvo Juan, tuvieron muertes violentas debido a su compromiso con Jesucristo (Judas, por supuesto, tuvo otra clase de muerte).

Si leemos la última parte de Hebreos 11, descubriremos a muchos más que sufrieron intensamente por su fe. Ellos fueron "atormentados... experimentaron vituperios y azotes... prisiones y cárceles... apedreados, aserrados, puestos a prueba, muertos a filo de espada; anduvieron de acá para allá... pobres, angustiados, maltratados... errando por los desiertos, por los montes, por las cuevas y por las cavernas de la tierra" (11:35-39). Nada de esto suena como "Cadillacs rosas", "mansiones lujosas", "fortunas en adornos" multiplicadas mil veces.

2. Un Futuro Triunfante y Glorioso. Cuando Jesús habló a los discípulos en cuanto al futuro de la iglesia, usó un lenguaje duro, aun conmoviéndolos al hablarles de su muerte inminente. Las "puertas del Hades" estarían contra la causa de Cristo. El futuro de la iglesia siempre tiene el potencial de dificultad y dolor. En China, Rusia y en el Oriente, han sido lugares difíciles, en una época u otra, para el pueblo de Dios.

¡El futuro de la iglesia es de triunfo! Considere nuevamente las palabras de Jesús: "Las puertas del Hades no prevalecerán contra ella." El lado de las dificultades en el futuro de la iglesia puede ser atemorizante. El lado de triunfo es de esplendor, gloria y seguridad.

Tome nota. Satanás, los poderes demoníacos y aun la muerte misma no pueden destruir a la iglesia. El poder del Espíritu Santo de Dios está vivo en el pueblo de Dios, y la iglesia ha de continuar.

> ¡Gloria! ¡Gloria! ¡Aleluya!
> ¡Gloria! ¡Gloria! ¡Aleluya!
> ¡Gloria! ¡Gloria! ¡Aleluya!
> ¡Nuestro Dios está marchando!
>
> Julia Ward Howe

Los apóstoles oyeron a Jesús que pedía que le siguieran. Ellos dieron un "sí" como respuesta. Jesús llama a la humanidad a confiar en él y llegar a ser hoy sus "discípulos". Cuando lo hacemos, estamos uniendo nuestra vida con una Persona y Causa que es eterna.

DATOS PARA EL ARCHIVO:

Fecha:_____

Ocasión:_____

Lugar:_____

29

EL MANDAMIENTO MAS GRANDE DE LA VIDA

Maestro, ¿cuál es el gran mandamiento en la ley? — Mateo 22:36.

Todos estamos interesados en "lo que es mejor". Así sucedía con los líderes del tiempo de Jesús. Ellos creyeron que podían atrapar a Jesús con su pregunta en cuanto al mandamiento más grande. Ellos tenían los Diez Mandamientos y cientos de otras reglas que se relacionaban con las Escrituras. A la pregunta de ellos en cuanto al mandamiento más grande, Jesús respondió: deben amar a Dios y amar al hombre.

I. HEMOS DE AMAR A DIOS

"Amarás." No podemos estar dando vueltas con este asunto importante que es un mandato. Con todo nuestro ser, hemos de amar a Dios.

1. Dile Que Le Amas. Si amamos a Dios, se lo diremos. Siempre decimos a los miembros de la familia y a los amigos que los amamos. ¿Alguna vez hizo como los diez leprosos sanados? Nueve nunca regresaron para dar las gracias a Jesús. Uno sí lo hizo. Usted y yo hemos recibido el amor y la vida de Dios. Que los redimidos por el Señor lo hagan. Hemos de amar al Señor y se lo hemos de decir.

2. Comunión Estrecha. Si amamos a Dios, viviremos en comunión con él. Los discípulos tuvieron compañerismo con Jesús. Noé tuvo comunión espiritual con Dios. Enoc "caminó con Dios" (Génesis 5:24). Si lo amamos, hemos de tener comunión con él.

3. Amor Que Se Demuestra. Si amamos a Dios, amaremos a su iglesia. David dijo: "Escogería antes estar a la puerta de la casa de mi Dios, Que habitar en las moradas de maldad" (Salmos 84:10). Cristo pagó un precio supremo por la iglesia. Seguramente amaremos aquello por lo cual él murió. Los primeros cristianos arriesgaron su vida por el crecimiento de la iglesia. ¿Podemos amar a la iglesia de Dios y serle fieles?

4. Amar Su Palabra. Si amamos a Dios, amaremos su Palabra. El ha hablado. David dijo: "Cuánto amo yo tu ley." El doctor Dale Moody dice que él lee cada pasaje unas cincuenta veces antes de predicar acerca de él. Una vez dijo que antes de comenzar a estudiar cualquier libro de la Biblia, él habitualmente lee ese libro unas cincuenta veces. Si amamos a Dios, hemos de amar su Libro.

II. HEMOS DE AMAR A NUESTRO PROJIMO

Sorpresivamente, Jesús dijo: "Amarás a tu prójimo como a ti mismo." ¡Qué medida plena! Ciertamente, nunca nos odiamos a nosotros mismos. En la misma forma se nos pide que amemos a otros.

1. Ayudándoles. Si amamos a otros hemos de ayudar a solucionar sus necesidades. "¿Quién es mi prójimo?", preguntó el escriba a Jesús. El le contó la historia del buen samaritano.

La Biblia está llena de desafíos para que ayudemos a otros. Las Escrituras nos desafían a dar "pan al hambriento" y saciar "al alma afligida" (Isaías 58:10). La historia de Jonatán, que dio a David su ropa, su espada y su escudo, ilustra la lección vital de ayudar a otros. Cuando amamos a otros, los hemos de ayudar (1 Samuel 18).

2. Visitándoles. Mostramos el amor hacia otros visitando a aquellos desesperados que necesitan de nuestro amor. Puede que sean los huérfanos y las viudas (Santiago 1:27). Puede que sean los que están en la cárcel (Mateo 25:35). Puede que sean aquellos que han perdido a sus seres queridos (Juan 11:30). Puede que sea aquel que ha pecado (Gálatas 6:1). Mostramos el amor por ayudar a otros.

3. Perdonándoles. Mostramos el amor hacia otros perdonando las injurias. Efesios 4:32 nos dice que hemos de perdonar. Si queremos un cambio histórico en nuestras vidas, humillémonos y perdonemos.

Corrie ten Boom, en su libro *El Refugio Secreto*, cuenta de una reunión en la cual habló en Munich, Alemania, en 1947. Ella habló en cuanto al perdón y recordó a los oyentes en aquella tierra amargada y bombardeada, que Dios nos perdona y que debemos perdonar a aquellos que pecan contra nosotros. Corrie vio en la audiencia a un hombre fornido, calvo, con un sobretodo gris y un sombrero en su mano.

Repentinamente, Corrie recordó, como un pantallazo: norte de Berlín. . . el campo de concentración de Ravensbruch. . . ¡el guardia! Un uniforme azul. . . la visera de una gorra con una calavera cruzada por unos huesos. . . una gran sala. . . luces muy altas. . . pilas de zapatos y ropas en el piso. . . la vergüenza de caminar desnuda frente a aquel hombre con su hermana Betsie delante de ella... su propia liberación por un error clínico... la muerte de Betsie en el campo... ¡aquel guardia!

El "mensaje del perdón" finalizó y la multitud se levantó rápidamente y salió, con rostros duros. El hombre fornido se acercó a Corrie. "¡Hermoso mensaje, hermana! Es bueno saber que Dios ha enterrado nuestros pecados en las profundidades del mar. Y Dios me ha perdonado... Yo era un guardia en Ravensbruch. ¿Me perdonará usted?" Por segunda vez la pregunta resonó en los oídos de Corrie mientras permanecía en un silencio frío, su sangre casi congelada. El hombre permaneció con su mano extendida.

Lenta y dolorosamente la mano de Corrie se extendió hasta la del guardia. Un calor sanador llenó su alma, mientras dijo: "Te perdono, hermano, con todo mi corazón." Corrie dice en su libro que ella nunca conoció tan intensamente el amor de Dios como en aquel momento cuando perdonó a aquel hombre.

4. Testificándoles. Amar a nuestro prójimo nos llevará a testificar. Eso es lo que hizo Jesús. Eso es lo que él quiere que hagamos. Hemos de alcanzar a todos. El evangelio no es para ser guardado y encajonado en el edificio de la iglesia para unos pocos "santificados". La cruz es buenas nuevas para todos. Si amamos, hemos de compartir.

5. Mostrándoles Confianza. Expresamos amor cuando confiamos unos en otros. No necesitamos "santos sospechosos". No necesitamos "bandas de chismosos". Necesitamos amarnos unos a otros.

En una penitenciaría, uno de los guardianes oyó que un prisionero-peluquero había dicho que lo mataría en la primera oportunidad que tuviera. Poco después ese guardia visitó la peluquería de la cárcel. ¡Se sentó y pidió que lo afeitaran y le cortaran el cabello! Luego de unos momentos, el guardián sintió algo cálido cayendo sobre su rostro y garganta. Abrió sus ojos y vio al peluquero con lágrimas cayendo de su rostro y llegando a la propia cara del guardián sentado en la silla. El prisionero dijo: "Usted es el primer hombre que confía en mí desde que he estado en la penitenciaría." El amor hacia el prójimo nos llevará a confiar en ellos.

El amor hacia Dios y hacia el hombre es el mandamiento más grande. Puede que hoy necesitemos comenzar y decir a Dios que realmente lo amamos y que amamos a otros como nos amamos a nosotros mismos. Un avivamiento del amor traerá una revolución espiritual a cualquier iglesia. El mandamiento más grande de la vida es amar. Hemos de amar a Dios y hemos de amar a los demás. Obedezcamos este mandamiento del amor desde ahora en adelante.

30

SEÑALES DEL REGRESO DE CRISTO

Dinos, ¿cuándo serán estas cosas, y qué señal habrá de tu venida, y del fin del siglo? — Mateo 24:3.

La Biblia abunda en buenas noticias en cuanto al regreso de Jesús. Hay cientos de oportunidades en ambos Testamentos en que se revela esta verdad. Jesús está viniendo en forma personal, visible y majestuosa. Está viniendo en gran gloria con sus ángeles. Está viniendo tan rápidamente como el parpadear de un ojo y como el resplandor de un relámpago que cruza el cielo.

Las noticias animan o asustan a la gente. Los apóstoles mostraron un interés profundo acerca de este tema. Ellos preguntaron a Jesús: "¿Qué señal habrá de tu venida?" Se mencionan algunas señales.

I. LA IRRUPCION DE GUERRAS

Los versículos 6 y 7 dicen: "Y oiréis de guerras y rumores de guerra. . . porque se levantará nación contra nación, y reino contra reino." En la época de ser pronunciada esta frase, los romanos cubrían el mundo oon sus ejércitos. En 70 d. de J.C., el general Tito Vespaciano marchó contra Jerusalén y toda la ciudad cayó en ruinas, con la muerte de más de un millón y medio de habitantes de la ciudad y sus alrededores en ese holocausto.

La historia está llena de relatos de guerras sangrientas. Las guerras contra los indios, las guerras de la independencia, las guerras civiles en muchos países, la primera y segunda guerras mundiales, Corea, Vietnam y ahora las "escaramuzas" en muchos lugares. Esta es la historia de casi cada nación. La lucha interna y los conflictos externos son una de las señales del regreso de Cristo. Las "conversaciones de paz" fracasan. Sólo el regreso de Jesús introducirá finalmente la paz con la cual el hombre sueña.

II. LAS PESTES, HAMBRES Y TERREMOTOS

Jesús dijo que esto ocurría cada noche. Considere a una ciudad como Calcuta, India. Hay millones de personas con hambre por todas partes en ese lugar. Vaya a las naciones de Africa y sea testigo del sufrimiento de la gente de raza negra. Eche un vistazo a las áreas metropolitanas en muchos países y encontrará a millones de personas al borde de la inanición.

Los terremotos producen desastres. Desde Alaska (EE. UU.) y Siberia (Rusia) a lo largo de la costa de California hasta México y América Central, y a lo largo de los Andes, constantemente se sienten los temblores. También en China y en el Pacífico, en Turquía y en el área del Mediterráneo, los terremotos crecen en número e intensidad. La ciudad de México sufrió pérdidas incontables a fines de 1985 por un terremoto devastador. Colombia perdió una ciudad entera de 25.000 personas, el noventa y ocho por ciento de ellas enterradas en la lava de un volcán. En 1975 nuestro mundo perdió 700.000 personas en un año por los terremotos. Esta es otra señal del regreso de Cristo.

III. LAS FALSAS RELIGIONES

Jesús dijo que habría falsos cristos que vendrían y engañarían a muchos. ¡Esa época está ahora con nosotros! Muchos han venido diciendo que Jesús ha fracasado y que ahora ellos llevan a cabo su misión. Hace unos pocos años el "Padre Divino" presentó su religión. El reverendo Sun Moon, de Corea, engaña en la época actual a muchos. Los seguidores de esa secta son de una cantidad increíble.

Casi todos los diarios en el mundo dedican mucho espacio a los horóscopos y a las señales de la astrología. Estamos nadando en un mar de paganismo. En Francia se informa que se gasta más de un millón de dólares por año en los adivinos. En realidad, Francia tiene un sacerdote por cada 5.000 habitantes y un adivino por cada 200 personas. Somos asaltados por cultos falsos y religiones falsas. Y están aumentando continuamente.

IV. UN AUMENTO EN EL AREA TECNOLOGICA

Dejemos el texto por un momento. En Daniel 12:4 dice que se debía cerrar el libro y sellarlo hasta la época del fin. Luego la Biblia dice: "Muchos correrán de aquí para allá, y la ciencia se aumentará." ¿Cree que muchos corren hoy "de aquí para allá"? Nosotros saltamos en subterráneos, automóviles, trenes, aviones y naves espaciales, cubriendo áreas impresionantes con nuestros movimientos. Esto puede ilustrarse de mil maneras sin estirar la verdad. Nos estamos moviendo todo el tiempo. Nadie parece establecerse y todos parecen estar en movimiento.

En la tecnología de nuestro tiempo, el conocimiento aumenta a saltos. Las computadoras nos dicen que algo está sucediendo. Los millones de jóvenes en las universidades tienen algo que decirnos. Tenemos trasplantes de riñón, corazón y puede que algún día, ¡de cerebros! Logramos conocimiento de las estrellas en el vasto espacio sobre nosotros. Aprendemos idiomas y sabemos en cuanto a química y matemáticas. El aumento está sobre nosotros. ¡Esta señal del regreso de Cristo se está cumpliendo!

V. LA INIQUIDAD Y LA FRIALDAD ESPIRITUALES

La iniquidad abunda. El hombre dice que es bueno lo que es malo. Tenemos asesinato, alcoholismo, trampa, juego y mentira. La degeneración moral se ve por todas partes. Jesús nos advirtió en cuanto a una época semejante.

El celo espiritual está faltando. Vemos eso a cada paso. No amamos a la gente como Jesús amó a Jerusalén y lloró sobre ella (Mateo 23:37). No pasamos tiempo con Dios confesándole nuestros propios pecados. Necesitamos quebrantamiento y arrepentimiento profundos. Y no necesitamos un dedo acusador que vaya hacia otros. Debemos confesar nuestra propia frialdad, nuestro propio letargo, y nuestra propia necesidad de un avivamiento moral y espiritual.

VI. LA PREDICACION DEL EVANGELIO CON UN ALCANCE MUNDIAL

El Salvador afirmó: "Y será predicado este evangelio del reino en todo el mundo para testimonio a todas las naciones; y entonces vendrá el fin" (v. 14). Por medio de la televisión y la radio, por medio de libros y tratados, por la predicación y el testimonio individual, el evangelio de Cristo ha cubierto cada continente y virtualmente cada país y ciudad en el mundo.

Si alguien va detrás de la cortina de hierro o a lo profundo de las junglas de Africa, encontrará u oirá en cuanto a lugares donde el evangelio o Cristo es predicado. Vaya a las islas del Pacífico o al interior de Australia y oirá en cuanto al evangelio. El evangelio está cubriendo Japón, China, Corea, India y esencialmente todas las naciones de la tierra. El nacimiento de Jesús, su vida, ministerio, muerte y resurrección y su venida futura están siendo proclamados en todas partes. Seguramente el regreso de Cristo "está cerca", porque la señal de la proclamación mundial del amor de Dios en Cristo se está cumpliendo.

El mensaje de que Cristo está viniendo otra vez es para que estemos listos. ¿Estamos entusiasmados y preparados para la aparición majestuosa y gloriosa del regreso del Hijo de Dios?

DATOS PARA EL ARCHIVO:

Fecha:_____

Ocasión:_____

Lugar:_____

31

LLEVE A OTROS A CRISTO

Entonces vinieron a él unos trayendo un paralítico, que era cargado por cuatro — Marcos 2:3.

Podríamos mencionar muchas necesidades prioritarias del mundo. Qué bendición sería si un "pacificador" pudiera venir y detener las guerras. Podríamos usar los 800 mil millones de dólares que el mundo gastó en armas en 1985 para comida, ropa y abrigo, ¡y quizá unas vacaciones en las islas del Pacífico!

Aplaudiríamos a cualquier grupo de doctores o científicos, si ellos pudieran encontrar una cura para el cáncer. Y, por supuesto, la educación es importante, y en la misma forma la minería, la agricultura y la forestación.

Sin embargo, el trabajo más grande de la vida no logra la atención que merece. No podemos mencionar otra tarea o misión más importante que llevar a otra persona a Jesucristo. Los cuatro hombres cuya historia se cuenta en el pasaje de las Escrituras nunca hicieron una tarea más importante en sus vidas que la de llevar a un hombre enfermo a Jesús. Esta es la tarea de cada cristiano. Debemos llevar a otros a Jesús.

I. ¿QUE SE NECESITA PARA LLEVAR A OTRA PERSONA A JESUS?

Esta es una buena pregunta. Los que llevan a otros a Cristo tanto como los que son llevados a él deben saber qué es lo que se necesita para llevar gente a Jesús. Aquí damos algunas respuestas:

1. Sentido de Necesidad. Cada uno debe ser convencido de su necesidad. El enfermo de parálisis sabía que necesitaba ayuda. El había sufrido por un largo tiempo. Y estaba listo para el viaje.

Algunos saben que necesitan a Jesús. Otros no se preocupan en cuanto a eso. La Biblia dice que todos nosotros necesitamos de él. Algunos tienen un profundo problema de pecado y casi han terminado su camino en esta vida. Ningún caso es demasiado difícil para el Hijo de Dios. Todos le necesitamos. Cristo hará su obra en los corazones de todos los que reconozcan su necesidad espiritual.

2. Sentido de Cooperación. Es necesaria la cooperación si hemos de llevar al perdido a Jesús. En el texto notamos que los hombres trabajaron para llevar a otro a Jesús. Caminaron por la gran ciudad de Capernaum llevando a un paralítico sobre una camilla. La gente debe haber mirado con curiosidad mientras los cuatro hombres dejaban su rutina diaria para hacer aquel trabajo.

Puede que no sea fácil que una persona lleve a otra a Jesús. Entonces hemos de cooperar. Para alcanzar a miembros en perspectiva para una clase o para la iglesia, unimos nuestro trabajo. Dos, seis o aun diez pueden ir tras un amigo perdido.

3. Superar Obstáculos. Debemos superar los obstáculos si hemos de alcanzar a los perdidos. El texto habla de una multitud en la casa en Capernaum, el centro de operaciones de Jesús en Galilea. Aquella gente quería oír a Cristo. Ellos no habían visto al paralítico, o no habían pensado en aquellos como los que necesitaban la ayuda de Cristo.

Los obstáculos aparecen en nuestro camino. Los cuatro "camilleros" quitaron el techo y bajaron al paralítico hasta la presencia de Jesús. Ellos no temieron lo que iba a pensar la gente. Hicieron lo que se debía hacer, llegando a Jesús con el enfermo. Y nosotros podemos encontrar impedimentos u obstáculos en el camino de llevar a otros a Jesús. Creemos que alguna gente es demasiado vieja o demasiado joven. O que ya tenemos demasiada gente en la iglesia.

En su libro *More Than Conquerors* (Más que vencedores), Paul Yonggi Cho, de Corea, cuenta una historia hermosa acerca de una señora "líder de una célula" en su iglesia, que superó los obstáculos para ganar a otros para Jesús. La señora se mudó a un edificio de departamentos muy alto y difícil de evangelizar. Día tras día ella usaba el ascensor, esperando la oportunidad de ayudar a alguien. Un día una madre con un niño pequeño y una gran bolsa con alimentos subió al ascensor. La "líder de célula" ayudó a la madre muy cargada a llegar a su departamento. Esa dama cristiana invitó luego a esa nueva conocida a su propio departamento a tomar el té. Durante la visita, la nueva amiga escuchó acerca de Jesús. Pocas semanas más tarde aquella no cristiana aceptó a Cristo como su Salvador personal.

Pronto aquellas dos comenzaron un "ministerio del ascensor" que ha resultado en varios grupos de células en aquel edificio. La mayoría de los residentes de ese edificio de departamentos son ahora cristianos dedicados y miembros activos de la iglesia en la cual Paul Yonggi Cho sirve como pastor. En el camino de alguien que quiere testificar de Cristo pueden aparecer toda clase de obstáculos. Sin embargo, Dios conoce un camino alrededor, sobre, bajo o a través de aquellas dificultades.

4. Superar las Críticas. No debemos poner atención a los críticos si hemos de alcanzar a los perdidos para Jesús. Algunos se enojaron con Jesús cuando sanó al hombre según el relato de Marcos. Eso todavía sucede. Puede que a los críticos no les gusten los convertidos, la manera en que son traídos, o su respuesta cuando son salvados. No ponga atención a los críticos si usted está interesado en llevar a los necesitados a Jesús. Aquí hay otra pregunta.

II. ¿POR QUE HAY QUE LLEVAR LOS PERDIDOS A JESUS?

Frecuentemente mencionamos la necesidad de llevar a la gente a la iglesia para escuchar el evangelio. ¿Por qué debemos hacerlo?

1. Porque Jesús Ama a Cada Persona. Su gran amor por la gente es la razón principal por la cual debemos "llevar" a los inconversos al Salvador. El amor divino encuentra expresión en muchas maneras. Jesús nunca hubiera ido a Capernaum, en la costa norte del mar de Galilea, y nunca hubiera hecho que fuera su "centro de operaciones" en aquella parte del mundo si no hubiera amado a la gente. De hecho, él no hubiera dejado el cielo para un encuentro con la tierra si no hubiera tenido un amor ilimitado por toda la gente. Su viaje al desierto inhóspito para luchar contra Satanás, el haber sufrido acusaciones falsas de los hombres malignos, y su viaje a Getsemaní y al Gólgota indican que Jesús "derramó su alma hasta la muerte" por la humanidad perdida. El apóstol Pablo nos dice que "el amor de Cristo nos constriñe" (2 Corintios 5:14). Esa es la razón por la que llegamos a ser embajadores de Cristo, debido a su gran amor por nosotros.

Cuando descubrimos el amor que Cristo tiene por cada persona, debemos ser movidos a llevar a Jesús a la gente en bancarrota espiritual. Su amor por cada persona debe ser la razón dinámica y movilizadora para nuestro testimonio día tras día. Debemos buscar a otros porque el amor de Cristo nos lleva a hacerlo.

2. Cada Persona Es Importante Para Jesús. Jesús siempre tenía tiempo para todos. Lo hizo en el texto que estamos usando. En medio de su sermón, Jesús se detuvo para atender a aquel hombre. El siempre tiene tiempo para la gente. Usted y yo podemos estar presionados por no tener tiempo suficiente. Jesús no lo está. Aun habló con un hombre mientras estaba en la cruz. El tiene tiempo para nosotros.

¿Ha notado cuán poco tiempo tenemos el uno para con el otro? El esposo y la esposa puede que no estén juntos un tiempo significativo y suficiente. Los hijos a veces se sienten solitarios y tristes porque no tienen el apoyo de su mamá o su papá como deberían tenerlo. Hemos de "trabajar duro" para encontrar tiempo para todo lo que queremos hacer. Podemos no tener tiempo el uno para el otro, pero Jesús lo tiene. Por esta razón llevemos a otros a él.

3. Porque el Pecado Incapacita al Hombre. La parálisis había convertido al hombre de nuestra historia en un incapacitado sin posibilidad de ayuda. El pecado deja al hombre en una mala condición. La historia del pecado es de muerte. En el libro de Ester encontramos la historia de Amán. El odiaba a los cautivos hebreos a su alrededor. Amán preparó un plan para la exterminación de muchos miles de los hebreos. Aun había hecho construir una horca para ahorcar a algunos de los líderes de los hebreos. Sin embargo, el rey de Persia supo del plan engañoso y Amán murió en la propia horca que había construido. El fin del pecado es muerte. El pecado es costoso. Y antes de que una persona esté más allá de toda esperanza, debemos llevarle a Jesús.

4. Porque Jesús Ofrece Completa Transformación. Llevemos al perdido a Jesús por la gran transformación que Cristo trae. El sanó al paralítico. ¿Qué sucedió cuando llegó a su hogar y a su familia? Todo Capernaum (¡salvo los críticos!) debe haberse regocijado en el cambio que le ocurrió. Jesús produce el cambio a cualquiera que le entrega su vida.

5. Porque Esa Es Nuestra Tarea. Llevemos al perdido a Jesús porque esa es nuestra tarea. Jesús dio la comisión a la iglesia. Mateo 28:18-20 es para hoy. Nuestra tarea es testificar.

Sofía, una sirvienta que se convirtió, dijo que fue llamada a "fregar y predicar". Alguien se burló de ella un día en cuanto a esto, diciendo que la había visto hablando acerca de Jesús a una figura de madera de un indio en frente de una cigarrería. Sofía confesó: "Puede que lo hiciera. Mi vista no es tan buena. Pero hablar a un indio de madera acerca de Jesús no es tan malo como ser un cristiano de madera que nunca le habla a nadie acerca del Señor Jesús."

¿Cuál es nuestra tarea? Podemos ser electricistas, estudiantes, maestros o empleados del gobierno. Nuestra tarea más importante, sin embargo, es alcanzar a la gente para Cristo. No dejemos de hacerlo.

DATOS PARA EL ARCHIVO:

Fecha:_____

Ocasión:_____

Lugar:_____

32

LA MANERA BIBLICA DE OFRENDAR

Dad, y se os dará; medida buena, apretada, remecida y rebosando darán en vuestro regazo... — Lucas 6:38.

Las Escrituras enseñan el "principio de dar". Jesús enseña la verdadera manera bíblica de dar en Lucas 6:38: "Dad, y se os dará; medida buena, apretada, remecida y rebosando darán en vuestro regazo..." El infortunio llegará a aquellos que están consumidos con el deseo egoísta de "acumular". La bendición vendrá cuando tengamos el deseo de dar. Podemos dar en la manera bíblica.

I. DEMOS CON LA COMPRENSION CLARA DE QUE DIOS ES EL DUEÑO DE TODO

Realmente, no poseemos nada. El hombre es sólo un administrador por un tiempo breve. Dios es el dueño. Debemos comprender esta verdad. David trabajó como un pastor y vio las colinas llenas con ovejas y ganado. En el Salmo 50:10 escribió: "Porque mía es toda bestia del bosque, Y los millares de animales en los collados." Alguien dirá: "Pero yo creía que eran míos." No, ellos pertenecen a Dios.

El minero puede creer que lo que encuentra es suyo. No, dice Hageo 2:8. Todo pertenece a Dios: "Mía es la plata, y mío es el oro, dice Jehová de los ejércitos." ¡Así es! Todo el oro en los bancos del mundo y todo el oro en todas las naciones, en los edificios, anillos, relojes, dientes y en todos los otros lugares pertenece a Dios. El es el Hacedor y Dueño original.

El granjero no es el dueño de sus tierras, sino Dios. En el Salmo 24:1 se dice: "De Jehová es la tierra y su plenitud; El mundo, y los que en él habitan." Si podemos llegar a una comprensión de quién es el dueño real, cambiaría nuestro principio de dar. Nuestro procedimiento daría una vuelta radical. Realmente no tendríamos ningún problema en dar, porque comprenderíamos que estamos dando lo que realmente pertenece a Otro.

Jesús cuenta esa historia interesante y reveladora en Lucas 12:16-21, en cuanto a un hombre rico. El tenía una "cosecha abundante". Decidió construir graneros más grandes y luego tener una vida fácil. Comería, bebería y se contentaría, olvidando todo lo demás: esto es lo que se decía a sí mismo. Pero Dios dijo: "Necio, esta noche vienen a pedirte tu alma; y lo que has provisto, ¿de quién será?" Aquel hombre nunca poseyó sus bienes. Dios es el dueño. Necesitamos aprender esa verdad.

II. DEMOS CON EL PROPOSITO DE HONRAR Y GLORIFICAR A DIOS

Alguien puede preguntar: "¿Cómo podremos honrar a Dios con nuestras dádivas?" Simplemente demos con la intención de glorificar a Dios con la dádiva. Ese es el significado de Proverbios 3:9: "Honra a Jehová con tus bienes." Honra y glorifica a Dios con lo que te es dado, no a tu propio yo.

Podemos leer la historia en Hechos 14:8-18, cuando Pablo y Bernabé sanaron a un hombre en Listra. La gente gritó: "Dioses bajo la semejanza de hombres han descendido a nosotros." Los hombres de Listra trajeron toros y guirnaldas al sacerdote pagano, quien hubiera hecho el sacrificio ante los dos misioneros. Pero Pablo y Bernabé corrieron entre la gente, diciendo que eran hombres como ellos. El honor estaba a punto de ser dado a ellos en lugar de a Dios.

Cuando damos para nuestra causa misionera, para el trabajo local y para los necesitados, hagámoslo como para el Señor para su gloria y honra, y no para el orgullo y el ego del hombre.

III. DEMOS VOLUNTARIAMENTE

No pedimos a quienes levantan la ofrenda que tomen armas y obliguen a la gente a dar. Ningún miembro recibe amenazas si no está ofrendando. Recordemos que Cristo vino del cielo como un voluntario. En la cruz, Jesús libremente entregó su vida por amor a nosotros. Y se nos dice en las Escrituras que nuestra ofrenda es un asunto personal, que ha de ser en el mismo espíritu de dádiva que demostró Cristo.

1. Ofrendar y Adorar. Las ofrendas voluntarias hacen posible un lugar de adoración. En Exodo 25:2 el Señor dijo a Moisés que hablara al pueblo de Israel acerca de la construcción de una casa de adoración. "De todo varón que la diere de su voluntad, de corazón, tomaréis la ofrenda." Es una ofrenda voluntaria que surge del corazón de amor del dador. Y fue así que fue construido el lugar de adoración. El plan para el dinero de Dios no es por medio de loterías, o remates, ni por ningún otro medio mundano. El pueblo da voluntariamente o con disposición, de modo que pueda proveerse para la casa de Dios.

2. Ofrenda y Proclamación. La ofrenda voluntaria hace posible la proclamación de la Palabra de Dios. Los sacerdotes en los días de Moisés y después de ese tiempo vivían por medio de las ofrendas del pueblo. Aun los animales para el sacrificio, los corderos y otros sacrificios proveían comida para los siervos del Señor. Las otras ofrendas voluntarias del pueblo daban la provisión de dinero necesario para que la Palabra de Dios pudiera ser predicada. Esa es aún la manera de Dios para esparcir la verdad, que la gente ofrende voluntariamente.

IV. DEMOS GENEROSAMENTE

Esa es la idea en la primera palabra del texto: "Dad." El sol da con liberalidad de modo que podamos tener vida sobre el planeta tierra. Las nubes dan generosamente la lluvia. Las flores dan su fragancia con generosidad. Las fuentes y los manantiales dan libremente su provisión de agua. La tierra devuelve la semilla sembrada en una cosecha generosa y abundante. Así Dios nos recuerda que demos en esa manera.

Bernabé era un hombre muy interesante, el primer misionero asociado con Pablo. Encontramos un pequeño vistazo en cuanto a él en Hechos 4. Bernabé tenía una granja en la isla de Chipre. El la vendió y trajo todo el dinero y lo puso a los pies de los apóstoles. ¿Puede maravillarnos que Dios pronto habló al corazón de ese hombre y le hizo un misionero? ¡No nos atemoricemos! Dios enviará al campo misionero a aquellos que no tienen nada de tierra tan rápidamente como lo hará con cualquier otro. Sea lo que fuera que poseamos, debemos saber que no debemos ser egoístas y tener lo de Dios. ¡Hemos de dar generosamente!

V. DEMOS CON ACCION DE GRACIAS

En el Antiguo Testamento, con frecuencia se recibían dones especiales u "ofrendas de gratitud". Yo creo que la misma idea se encuentra en el Nuevo Testamento. Le agradecemos por su bondad, protección y cuidado. Damos al Señor sabiendo que él nos bendecirá por ello.

William Colgate, siendo joven, dejó su hogar. Un capitán de un barco oró con él y le dijo que fuera fiel a Dios. El recibió el sabio consejo de su amigo mayor. Al principio tenía poco que dar a Dios, pero William Colgate dio una décima parte, el diezmo. Después de varios años, dio el cincuenta por ciento de sus ganancias a la obra del Señor. El era el Colgate de la pasta dentífrica y el jabón, que finalmente dio el ciento por ciento de sus ganancias a Dios. Todos seremos honrados e inmensamente bendecidos por Dios cuando demos.

Las palabras del texto dicen que cuando damos, Dios nos bendecirá por medio de otros que nos den. En resumen, no podemos agotar a Dios.

DATOS PARA EL ARCHIVO:

Fecha:_____

Ocasión:_____

Lugar:_____

33

COMO LLENAR LA CASA DE DIOS

Dijo el señor al siervo: Vé por los caminos y por los vallados, y fuérzalos a entrar, para que se llene mi casa — Lucas 14:23.

A todos nos gusta ver la propiedad de una iglesia donde el césped esté verde, el edificio limpio y bien pintado con una buena apariencia. Pero el edificio más hermoso que podamos encontrar de un templo es aquel que está lleno con gente que son felices y están listos para servir al Señor.

Durante su ministerio, Jesús frecuentemente tenía grandes multitudes que lo rodeaban. Cuando predicó el sermón del monte, hubo multitudes que fueron a él. En el desierto, 5.000 hombres más las mujeres y los niños vieron cómo Jesús realizaba el milagro fantástico de alimentarles con un poco de pan y de pescado. Tenía una audiencia del tamaño de un estadio. En la historia que hemos leído, Jesús indicó su interés por las multitudes. No nos gusta la idea de ser siempre pocos. Nos regocijamos con el desafío del crecimiento. La casa de Dios puede ser llenada. ¿Cómo es que puede suceder?

I. PERMITAMOS QUE LA VIDA ESPIRITUAL SEA NUESTRA PRINCIPAL PRIORIDAD Y PODREMOS LLENAR LA CASA DE DIOS

¡Esta es la principal prioridad! El ser parte de la familia de Dios es más importante que cualquier otro hecho en la vida. Mateo 6:33 dice que hemos de buscar primero el reino de Dios y su justicia. El Salmo 122:1 habla acerca de estar contento con la oportunidad de ir a la casa de Dios.

1. Los Negocios Pueden Ser un Impedimento. A veces dejamos que las aventuras de los negocios sean un obstáculo para que la vida espiritual ocupe el primer lugar. En la historia del texto, Jesús cuenta acerca de un hombre que había comprado cierta tierra y debido a esa compra no quiso estar en el gran banquete. Dijo que tenía que ver su tierra. ¡Eso fue más bien estúpido! Seguramente no compró la tierra sin haberla visto. Pero muchas veces dejamos que los asuntos de la vida nos impidan estar en la mesa del banquete de Dios.

2. El Trabajo Puede Ser un Impedimento. A veces dejamos que nuestro trabajo impida que la vida espiritual ocupe el primer lugar. Otra vez, la historia nos cuenta acerca de un hombre que compró "cinco yuntas de bueyes" y necesitaba probarlos. Pero seguramente no iba a ponerse a arar esa noche. Pero nosotros, también, dejamos que nuestros trabajos nos impidan estar en el lugar donde debemos estar: la mesa del banquete de Dios.

D. L. Moody pidió a un hombre que fuera a una de sus reuniones en un domingo determinado. Ese hombre respondió: "No puedo ir porque tengo un buey en el pozo'." Moody respondió "¡Entonces mate el buey o tape el pozo!"

3. Los Compromisos Sociales Pueden Ser un Impedimento. A veces las relaciones sociales "apagan" o impiden que nuestra vida espiritual sea lo primero. El tercer hombre en la historia del texto se acababa de casar. De modo que dijo que no podía asistir al banquete. ¿Por qué? El debía haber aprovechado la oportunidad de ahorrar un poco de dinero para un viaje más largo de "luna de miel". Ella necesitaba comer, ¿no es así? Pero cuando una persona no quiere que Dios tenga una oportunidad con su vida, puede ofrecer cualquier excusa. Mucha gente bien intencionada deja que sus obligaciones sociales apaguen su fuego espiritual. Necesitamos aclarar nuestras prioridades. Si ponemos lo primero en primer lugar, ¡llenaremos la casa de Dios! No dejemos que las excusas obstaculicen nuestro camino espiritual.

II. PERMITA QUE TODO EL PUEBLO DE DIOS SALGA A TRABAJAR Y LLENAREMOS SU CASA

Cuando los invitados rehusaron asistir, el dueño de casa envió a sus siervos a las plazas, calles, rutas y caminos a traer a la gente. Aquí hay una clave para el trabajo efectivo.

1. Invite a Otros al Templo. Permita que todos los siervos de nuestro Maestro inviten a otros a la casa de Dios. Somos sus siervos y el Señor nos dice que invitemos a otros. Esta no es solamente una tarea para el predicador, sino para cada hijo de Dios. Los maestros de enseñanza bíblica, los diáconos o ancianos, los miembros de las clases, los jóvenes, los niños y los ancianos, todos han de entender nuestra comisión. El "vé" incluye a todos. Un predicador sin educación dijo que "vé" en griego significa "todos vosotros". Bien, todos nosotros hemos de ir.

Las guerras no se ganan por los generales, almirantes u otros oficiales. Las guerras se ganan con soldados comunes que arriesgan su vida, sus miembros, su salud y todo en el campo de batalla. Los partidos de fútbol no los ganan ni los juegan los entrenadores o los dueños de los equipos. ¡Los partidos los juegan los jugadores! Y todo el pueblo de Dios debe hacer su obra.

Como líderes en la iglesia, no hemos de sentarnos y observar cómo los miembros hacen todo el trabajo. Y ellos tampoco han de mirarnos y "contratarnos" para hacer la tarea. Este es un esfuerzo combinado. Se necesita un nuevo compromiso de parte de todos. Esta es una segunda clave para un trabajo efectivo.

2. Vaya a Todas Partes. Permita que todos los siervos del Señor estén listos para ir a todas partes. Hay muchísimos lugares donde encontrar a la gente. Se la puede encontrar en caminos y rutas, departamentos en grandes edificios, playas y en todas partes.

3. Hable Siempre y No Desmaye. Permitamos que los siervos del Señor vayan a toda la gente sin detenerse. El texto está diciendo realmente: "Vayan una y otra vez. Continúen yendo." Allí es donde a veces fracasamos. Vamos una o dos veces y luego abandonamos. Pero hemos de continuar yendo.

Hagamos un repaso rápido sobre este asunto de llenar la casa de Dios. Primero, debemos dar la principal prioridad a la vida espiritual. Luego, todo el pueblo debe salir a trabajar. Y ahora, miremos el tercer paso para hacer que se llene la casa de Dios.

III. PERMITA QUE LA IGLESIA SEA UN BANQUETE GOZOSO Y ESPIRITUAL PARA TODOS LOS QUE VENGAN

Este es un deber. No seamos un laboratorio de biología donde disecamos a todos. No cambiemos la iglesia por una morgue o una casa funeraria donde estamos llorando por una situación terrible. ¡Hagamos de ella un lugar de banquete y gozo espiritual!

Nuestro compañerismo ha de ser gozo y feliz. En un banquete hay risa. ¡ Y música! Hechos 2 indica que la iglesia en Jerusalén tenía un compañerismo que entusiasmaba. Isaías 12 habla acerca de sacar agua de la fuente de la salvación con gozo. En un compañerismo feliz las cargas son aliviadas y los problemas resueltos.

Nuestro banquete es con el Señor. Aquella noche el señor estaba presente. ¡Y también lo está nuestro Señor! Y él satisface al alma hambrienta. El llena la vida con comida rica y nutritiva de su vida. Los Salmos, los Profetas, los Evangelios, las Epístolas y toda la Biblia es comida espiritual para nosotros. El nos comisiona a salir y traer a otros con nosotros para la próxima oportunidad. El quiere que llenemos su casa. El quiere que tengamos un banquete cada vez que estamos juntos.

La parábola nos recuerda de la abundancia en la casa de nuestro Padre. Dios siempre tiene lugar para otros en la mesa de su banquete. Unase conmigo en repetir: "Llenaremos la casa de Dios."

DATOS PARA EL ARCHIVO:

Fecha:_____

Ocasión:_____

Lugar:_____

34

¿ESTA DESANIMADO?

Y Pedro, saliendo afuera, lloró amargamente— Lucas 22:62.

Muchas veces nos sentimos desanimados y deprimidos. Eso le pasa al anciano y al joven, al rico y al pobre, a todos. La Biblia nos da un vistazo de la vida de Simón Pedro cuando se sintió desanimado e impotente. Los apóstoles habían seguido a Jesús hasta las últimas horas de su vida terrenal y repentinamente vieron que todo se derrumbaba. Sus esperanzas y sueños parecían destruirse. Tarde o temprano la experiencia de desánimo llega a su vida y a la mía. El desánimo es real en cada vida. ¿Qué podemos hacer en cuanto a esto? Primero, podemos ver por qué una persona se desanima. Segundo, podemos ver la manera de salir del desánimo.

I. EXAMINE LAS CAUSAS DEL DESANIMO

¿Cómo es que todos llegamos a esta condición? ¿Cuáles son las razones? ¿Cuáles son los caminos que nos conducen allí?

1. El Cansancio Físico Trae Desánimo. Recordemos algo de la vida de los apóstoles. Antes que Jesús los llamara, ellos habían estado ocupados como pescadores, cobradores de impuestos, y con otros trabajos. Nunca soñaron que Jesús los llevaría a una vida de tanto rigor y dureza. Por más de tres años habían caminado por toda la tierra santa, cruzando todo el país una y otra vez. Sabemos que no tenían la comodidad de los automóviles, omnibuses o aviones. En el calor y en el frío, en tormentas y en tiempo seco, ellos caminaban y caminaban. Por las noches frecuentemente dormían sobre la tierra. Jesús no tenía un lugar en el cual recostar su cabeza. Durante esos días, el Salvador y sus seguidores se mezclaban con las multitudes y todas las presiones de la vida caían sobre ellos como un torrente. La última semana probó ser muy cansadora para todos ellos. Estuvieron exhaustos, completamente agotados. Les invadió el desánimo cuando el cansancio físico los colmó.

¿Se ha sentido a veces un poco deprimido? Examine su condición física. La mayoría de la gente corre de aquí para allá mucho más de lo que se da cuenta. Tenemos muchas responsabilidades. El hogar, la familia, el trabajo y todas las otras actividades nos quitan la energía. ¡No se maraville de que nos sintamos deprimidos de vez en cuando!

2. Los Errores Que Cometemos Nos Desaniman. No seamos crueles y no los llamemos pecados esta vez. Honestamente intentamos hacer lo correcto, pero a veces nuestros planes simplemente no salen bien. Eso le pasó a Simón Pedro. Leemos en Mateo 16 en cuanto a su confesión del mesianismo de Jesús. Luego llevó a Jesús aparte y lo reprendió. Jesús dijo: "¡Quítate de delante de mí, Satanás..." Posteriormente, Pedro casi se duerme en el monte de la transfiguración (Lucas 9:32); y cometió el error garrafal de pedir a Jesús que permanecieran allí lejos del mundo que les molestaba. En otra oportunidad, la vieja historia de su fracaso en caminar sobre el agua debe haber avergonzado al Apóstol (Mateo 14:30). Pedro quería defender a Jesús en el huerto de Getsemaní y cometió otro error. Como vemos en el texto, Pedro negó a Jesús, y luego salió y lloró amargamente desanimado por sus errores. Y esta es también nuestra historia. Cada uno de nosotros debemos confesar los grandes errores que hemos cometido.

3. La Oposición Que Confrontamos Nos Desanima. Los discípulos y Jesús se enfrentaron a los saduceos, fariseos y escribas por tres largos años. Ellos fueron criticados día tras día por aquel grupo de líderes religiosos. De ese modo llegó el desánimo.

Cuando enfrentamos oposición, nos desanimamos. La oposición y la falta de apoyo conlleva un potencial de destrucción. A veces los miembros de la familia sienten el golpe y aguijón desde dentro del círculo familiar. También sucede dentro de la familia de la iglesia. Pero, la vida nueva puede surgir desde dentro de una persona cuando la oposición cambia en apoyo.

II. CONSIDERE LA CURA PARA EL DESANIMO

Gracias a Dios, podemos encontrar un camino para salir del desánimo. No tenemos que quedarnos "en el pozo". Algunos pueden sentirse "en casa" estando con un espíritu derrotado y desanimado, pero eso no es lo que Jesús quiere.

1. Descansar. El descanso nos hace salir del desánimo. Pedro y los apóstoles tuvieron un "descanso sabático" después de la muerte de Jesús. Aun cuando no hayan descansado "fácilmente" durante ese tiempo, su descanso físico debe haberles hecho bien.

Todos necesitamos descansar. Debemos recordar el día del Señor y ser renovados espiritualmente. Todos necesitan vacaciones, unos pocos días fuera de la "rutina" o algún cambio. El descanso es importante para la recuperación.

2. Reunirse. Cuando nos volvemos a reunir, encontramos un camino para salir del desánimo. Los apóstoles habían estado esparcidos "como ovejas sin pastor" después de la muerte de Jesús. Pero en aquel primer domingo, se volvieron a juntar. Se reunieron en el aposento alto. El estar juntos les trajo nuevas esperanzas y vida a todos ellos.

Cuando nos reunimos encontramos fortaleza y renovación en la experiencia del compañerismo con aquellos que comparten nuestra fe. No debemos vivir la vida solos. Nos necesitamos unos a otros.

3. Palabras de Animo. Las palabras de ánimo que recibimos de los otros nos animan. Jesús sabía cómo animar a sus seguidores. El envió un mensaje especial a Simón Pedro, y aquel discípulo que lo había negado tuvo una gran recuperación espiritual. Podemos animar a otro y encontrar vida en un plano superior.

4. La Presencia de Cristo. Cuando experimentamos la presencia del Cristo viviente, somos animados. Simón Pedro estaba tremendamente abatido cuando negó a Jesús y luego cuando Jesús murió en la cruz. Pero Cristo volvió a vivir. Esta verdad de un Señor y Cristo viviente y reinando animó a los discípulos, y nos anima también a nosotros.

5. Trabajemos para Su Reino. La responsabilidad que Jesús nos da nos anima. El dio a sus propios discípulos la tarea de contar al mundo en cuanto al amor de Dios en Jesucristo. Tenemos una comisión que es primordial. Dios quiere que testifiquemos. Cuando llegamos a estar consumidos por la tarea, no tendremos lugar para que el desánimo nos arruine.

Podemos confiar en Dios. Podemos entregarle nuestra vida. Podemos recibir a Cristo por todo lo que él es. Podemos saber de la renovación y la esperanza. Démosle nuestros corazones. Vivamos en la montaña elevada del ánimo. Con Cristo es posible.

DATOS PARA EL ARCHIVO:

Fecha:_____

Ocasión:_____

Lugar:_____

35

AL FINAL DEL VIAJE DE LA VIDA

Y dijo a Jesús: Acuérdate de mí cuando vengas en tu reino.
Entonces Jesús le dijo: De cierto te digo que hoy estarás
conmigo en el paraíso — Lucas 23:42, 43.

El fin del viaje de la vida terrenal llega para todos. El ladrón en la cruz, tanto como Jesús mismo, llegaron al fin de sus peregrinajes sobre la tierra. Sin embargo, no debemos desesperar. Cristo tiene un mensaje para todos los que llegan al fin del camino. Las palabras del Señor que llevaron ánimo al ladrón pueden también ayudarnos hoy.

I. CRISTO NOS DA SU MENSAJE DE ACEPTACION

El ladrón dijo a Jesús: "Acuérdate de mí cuando vengas en tu reino." La respuesta de Cristo indica que el hombre pecador había encontrado aceptación con el Señor. Por la fe se volvió a Jesús, confiando en él como su redentor y Señor. Si Cristo aceptó a un ladrón que murió por su mal camino en la vida, y él lo hizo, entonces él nos aceptará. Todos los que se vuelven al Señor serán aceptados, no rechazados.

II. CRISTO NOS DA SU MENSAJE DE SEGURIDAD

1. Seguridad en Su Palabra. Las palabras del Evangelio de Lucas son estas: "Hoy estarás conmigo en el paraíso." Jesús no expresó ninguna duda o incertidumbre cuando hablaba brevemente con aquel hombre pecador que estaba a su lado en la cruz. Cristo aún da seguridad. Las palabras destacables de Cristo en Juan 5:24 dicen que cuando le reconocemos delante de los hombres, él nos reconocerá delante de Dios y de sus ángeles.

2. Seguridad por la Fe. La seguridad que da Cristo no está basada en nuestros sentimientos. Nuestra vida depende de la fe en sus palabras de verdad. El murió por mí. Y ahora podemos regocijarnos en esa clase de seguridad que Cristo da. Otra vez, las palabras de Lucas 23:43 son: "Hoy estarás conmigo."

III. CRISTO NOS DA SU MENSAJE DE ASOCIACION

El Salvador dijo al pecador a su lado: "Hoy estarás conmigo." Al decir "conmigo" se habla de una asociación rica y espléndida. Aquel ladrón nunca había pasado un día con Jesús antes. Desde aquel momento en adelante, el quebrantador de la ley que había sido limpiado y redimido tendría compañerismo con el Señor de la gloria.

1. La Asociación Que Tenemos con Jesús Es Inmediata. No tenemos que esperar. La palabra "hoy" nos asombra y anima. Dejamos esta vida, y estamos con el Señor (Filipenses 1:21-23).

2. La Asociación Que Tenemos con Jesús Es de Identidad. Le conoceremos y él nos conocerá. El ladrón nunca sería un extraño a Jesús en la gloria, aunque no tuvieron conocimiento previo antes de estar juntos en la cruz. Tendremos esa asociación real con Cristo.

IV. CRISTO NOS DA SU MENSAJE ANTICIPADAMENTE

Tenemos el recordatorio siempre fresco en las Escrituras de que estaremos con Cristo en el "paraíso". Algunos han caminado con Cristo sobre la tierra. Aquí está la promesa del paraíso, de la gloria, de la vida más allá con Jesús.

Podemos anticipar un lugar de placer con el Señor. Paraíso significa "un jardín de placer". El tiene placeres indecibles y sin fin para nosotros. En la cruz el ladrón tenía dolor y privación; pronto tendría placer y privilegio. Gracias a Jesús podemos anticipar ese placer.

Podemos anticipar un lugar que es perpetuo. Esa vida eterna nunca cesará. Durará por siempre. Comunión, belleza, gloria: ¡para siempre! Cristo desea dar el mismo mensaje a todos los que le escuchan hoy.

36

EL HECHO DE LA RESURRECCION DE CRISTO

Ha resucitado el Señor verdaderamente, y ha aparecido a Simón — Lucas 24:34.

Cuando Jesús murió en la cruz del Calvario, se esparció la noticia por toda Jerusalén: "¡Jesús fue enterrado!" Los discípulos andaban aturdidos y llenos de miedo. Luego, en la mañana de Pascua, la tiniebla espiritual se levantó y todos pudieron leer el mensaje: "Jesús venció al enemigo." La victoria de Jesús sobre la muerte es un hecho más cierto en la historia que la caída de Roma, o las pirámides de Egipto o Simón Bolívar. El texto en Lucas nos habla acerca de esta innegable verdad. Cristo está vivo.

I. LAS PRUEBAS QUE DEMUESTRAN LA RESURRECCION

Las palabras en Hechos 1:3 hablan de pruebas "indubitables". Son pruebas confiables y concluyentes.

1. La Conquista de la Muerte. La victoria de Jesús sobre la muerte es la mejor prueba de la resurrección. Cualquier otro líder religioso muere y permanece en la tumba, o se dispone del cuerpo en alguna otra manera. No es así con Jesús. Después de su resurrección, Jesús caminó entre su propio pueblo por cuarenta días. Ellos le vieron, tocaron y conocieron en cuanto a su presencia.

Ningún discípulo creía que Jesús resucitaría. Aun Jesús les reprochó por su incredulidad (Marcos 16:14). Un ángel contó también la historia (Mateo

26:6). Los discípulos supieron de él en muchas maneras. El apareció entre ellos como el Señor y Cristo glorificado, sin limitaciones. ¡Vivo!

2. Vidas Transformadas. Las vidas cambiadas de sus seguidores dan prueba de la resurrección. Considere la diferencia en Simón Pedro. Cristo le cambió del discípulo que le negó a uno que más tarde cuidaría a los suyos. Y Pablo experimentó un cambio dramático (Hechos 26:23). Blas Pascal, un matemático y filósofo del siglo XVII, dijo: "Yo confío en el testimonio de los discípulos. Los seguidores de Jesús pasaron por la muerte para probar la validez de su fe."

3. Su Presencia Hoy. La continuación de la presencia de Cristo con los creyentes prueba su resurrección. No compartimos una mera ética o una teología muerta del pasado. El está presente hoy por medio de su Espíritu Santo. Nuestros corazones creyentes testifican este hecho.

II. LAS PROFECIAS DECLARAN SU RESURRECCION

Hay cientos de profecías que hacen la misma afirmación de que Cristo sería levantado de los muertos. Las Escrituras antiguas declaran la resurrección de Cristo. Vea el alcance total y el trasfondo de Lucas 24:24 y 44. Jesús probablemente habló acerca de Génesis 3:15, Génesis 49:10, Isaías 53, Salmos 22 y 16:10, ¡y todo el resto! El Antiguo Testamento es una casa del tesoro de pasajes acerca de la resurrección.

Las palabras autoritarias de Cristo declararon su resurrección: Juan 2:19-22; Marcos 9:9; Mateo 12:40. La muerte y la resurrección de Cristo nunca llegaron como una sorpresa para Jesús. ¡El sabía que iban a suceder! Y él vino para morir y destruir el poder de la muerte por medio de su muerte y de su resurrección corporal.

III. HAY ARGUMENTOS DE QUIENES NIEGAN LA RESU-RRECCION

Los enemigos de Jesús trataron de desacreditar su obra. Una constelación de cínicos a lo largo de los siglos continúan quejándose contra sus gloriosas conquistas. ¡Eso sólo fortalece nuestra fe! Los enemigos religiosos del tiempo de Jesús trataron de desacreditar la resurrección. Mateo 27:63 habla acerca de esta clase de acción insidiosa.

El gobierno romano cooperó con los líderes religiosos enfurecidos en tratar de mantener muerto a Jesús. Se colocó un sello del gobierno romano en la tumba de Jesús. Nadie podía mover la piedra sin órdenes de Roma. Un grupo de doce a dieciséis soldados fue ubicado ante la tumba todo el día, para ver que nadie robara aquel cuerpo. Cuando Jesús resucitó, decían que los discípulos habían robado el cuerpo (Mateo 28:13).

Los enemigos de hoy intentan negar la resurrección de Cristo. Renan Strauss la llama "la teoría del desmayo", diciendo que Jesús se desmayó en la cruz, levantándose luego y escapando. ¿Fuera de una tumba sellada y pasando los guardias armados? (Ver Jn. 19:24.) ¡Nunca! Jesús está vivo. Todas las tramas que se han ideado para negar la resurrección mueren en su propio polvo.

IV. LOS PROPOSITOS CONSOLIDADOS DIGNIFICAN LA RESURRECCION

Hay propósitos eternos que están involucrados en la resurrección del Salvador. Romanos 10:9; 8:22, 23 y Lucas 24:21 reflejan la naturaleza del acto redentor de Cristo. La salvación personal nunca sería un hecho sin un Cristo resucitado. El orden cosmológico un día experimentará los efectos renovadores y restauradores de nuestro Redentor.

De acuerdo con Lucas 24:27, hay responsabilidades que desafían a cada cristiano y que vienen por medio de la resurrección. Esta es la gran comisión. Aquellos que están destruidos y quebrantados por el pecado pueden tener vida, perdón y liberación. Hay una herencia eterna que espera a aquel que cree. ¡No podemos guardar silencio acerca de este Cristo conquistador!

Cada sistema que el hombre prepare ha de fracasar. El engaño ocurre. Los gobiernos caen. La lucha racial no se detiene. Los hogares se separan. Los enfermos mueren. Ni el pobre ni el rico pueden resolver sus problemas. El diablo corre de aquí para allá. La humanidad nunca construyó un mundo pacífico y sin pecado. El mundo no ve un camino para salir de su dilema.

¿Hay una respuesta? ¡Sí! ¡El Cristo resucitado! Simplemente espere que se cumpla la promesa de Apocalipsis 11:15. Un Señor viviente y resucitado es digno de nuestra entrega. El está vivo para siempre.

DATOS PARA EL ARCHIVO:

Fecha:_____

Ocasión:_____

Lugar:_____

37

EL NUEVO NACIMIENTO

. . . el que no naciere de nuevo, no puede ver el reino de Dios
— Juan 3:3.

Todos nosotros hemos tenido un nacimiento físico. Pero la Biblia declara que debemos tener un segundo nacimiento. El primer nacimiento nos hace en la semejanza de Adán; el segundo nacimiento nos hace en la semejanza de Jesucristo. Cuando una persona nace por primera vez su nombre es puesto en un registro civil; el segundo nacimiento inscribe nuestro nombre en el libro de la vida en el cielo. Somos felices al saber que Jesús dice que el segundo nacimiento es posible. El dijo a Nicodemo, un líder religioso y un hombre rico, que debía nacer de nuevo. Jesús nos dice también a nosotros, como a Nicodemo, que se requiere un nacimiento espiritual. ¿Por qué es así?

I. SE REQUIERE EL NACIMIENTO NUEVO DEBIDO A LA NATURALEZA PECAMINOSA DEL HOMBRE

No nos gusta decir que somos pecadores, pero ya se sabe la verdad, ¡SOMOS pecadores! Tenemos una naturaleza pecaminosa y nuestras inclinaciones van en la dirección de aquello que es erróneo. Necesitamos un nuevo nacimiento para "darnos vuelta" y recibir la ayuda de Dios para una vida nueva, una vida en el Espíritu.

Cuando una persona va al dentista, y el cirujano dental le dice: "Tiene dos cavidades que llenar y tengo que hacer una canalización en otra muela", no protestamos. Cuando los médicos dicen: "Usted tiene apendicitis y es necesario operar", decimos: "¡Hágalo pronto!" No discutimos las necesidades físicas en la vida. Si escuchamos a un hombre con un conocimiento limitado, ¿por qué no podemos entender la Palabra de Dios acerca del renacimiento espiritual que necesitamos debido a nuestro pecado?

Considere lo que dice la Biblia: "Por cuanto todos pecaron, y están destituidos de la gloria de Dios." En otra parte: "Todos nosotros nos descarriamos como ovejas, cada cual se apartó por su camino." Leemos en Isaías que "todas nuestras justicias" son "como trapo de inmundicia" a la vista de Dios. El pecado demanda un nuevo nacimiento.

Hay una fábula que se centra en la verdad del pecado del hombre. Un escorpión dijo a una tortuga de agua cierto día que él quería cruzar el río, pero que no podía nadar en esa parte ancha y profunda. Pidió a la tortuga que le hiciera el favor de llevarle a través del río para que él pudiera visitar a sus primos del otro lado.

La tortuga respondió: "¡Oh, no escorpión! No lo haré. Tú me pincharás y los dos vamos a morir." El escorpión prometió que nunca pincharía a la buena tortuga, de modo que la "nadadora" finalmente aceptó. El escorpión se subió sobre la espalda de la tortuga y allá fueron. Cuando estuvieron a mitad de camino cruzando el río, el escorpión no pudo resistir más la tentación. Pronto la tortuga miró hacia atrás y con lágrimas en sus ojos dijo: "¿Por qué me pinchaste, escorpión? Ahora yo voy a morir y tú te ahogarás. ¿Por qué lo hiciste?" El escorpión respondió: "No sé por qué te pinché, salvo que es mi naturaleza actuar de esta manera."

¿Por qué pecamos? Es porque tenemos una tendencia "natural" hacia el pecado. Necesitamos nacer de nuevo y por ello tener vida espiritual. Aun un hombre como Nicodemo, con toda su religiosidad, necesitaba nacer de nuevo. Podemos vestirnos, perfumarnos, sonreír y hacernos presentables en una docena de otras maneras, pero aquello no cambiará nuestra vida interior. Sólo el nuevo nacimiento puede cambiar el corazón.

II. LA ATMOSFERA DEL CIELO DEMANDA QUE TENGAMOS UN NUEVO NACIMIENTO

Jesús indicó que hay una gran diferencia entre el cielo y la tierra. A menos que ocurra el nuevo nacimiento, una persona no puede ver ni entrar en el cielo.

Una persona ciega no puede apreciar las bellezas de un jardín botánico. Alguien que es sordo no puede conocer la música de Beethoven o de algún otro músico, porque no tiene la habilidad para oír y apreciar. Debemos tener oídos, ojos y pulmones espirituales para vivir en la atmósfera del cielo.

La atmósfera del cielo es de pureza. Nada entrará en esa tierra de gloria y deleite que sea impuro. Debemos tener la santidad y la justicia de Cristo para entrar por las puertas de gloria. Ninguna cosa inmunda será permitida en el paraíso de Dios.

Un jugador cierta vez planeó ir con algunos amigos a una isla para divertirse. Llegó al barco justo cuando estaba saliendo del embarcadero. Con un gran salto subió equivocadamente a un barco con un grupo de una iglesia que iba para un día de canto, compañerismo, comida y testimonios. El jugador, cuando volvió, dijo: "¡Fue el día más miserable que he tenido en toda mi vida!"

Si un incrédulo pudiera llegar al cielo, sería algo terrible para él. El que no es salvo estaría incómodo y en agonía en la presencia de la gloria de Dios con todos los santos ángeles y los redimidos de todas las edades. El moriría por la brillante gloria de Dios. La atmósfera del cielo demanda un nuevo nacimiento para sus ocupantes.

La atmósfera del cielo es de alabanza. En el cielo cantaremos por siempre. Los habitantes del cielo nunca se cansarán de amar y agradecer al Señor por su redención eterna. Los no salvos serían miserables en el cielo con todas las alabanzas perpetuas del pueblo de Dios resonando por todas partes en la tierra de gloria.

III. SI HEMOS DE VIVIR PARA SIEMPRE, SE NECESITA Y DEMANDA EL NUEVO NACIMIENTO

Cuando Jesús dijo a Nicodemo que debía nacer de nuevo, éste no lo entendió. Nicodemo hizo algunas preguntas: "¿Cómo puede un hombre nacer siendo viejo?... ¿Cómo puede hacerse esto?" Jesús trató de hablarle acerca de la obra del Espíritu de Dios en la vida de una persona. El ilustró la verdad hablando acerca del viento. El viento "sopla de donde quiere". Pero, ¿cómo? No lo sabemos. Y lo que es cierto en cuanto al viento es cierto en cuanto al Espíritu de Dios. Nicodemo aún estaba perplejo.

La Palabra de Dios es ciertamente "la Palabra que convierte" en nuestra experiencia de salvación. Romanos 10:17 dice: "Así que la fe es por el oír, y el oír, por la palabra de Dios." La Palabra de Dios es un elemento y testimonio indispensable en la experiencia del nuevo nacimiento. Oímos y recibimos la Palabra de Dios, así como lo hizo Nicodemo en el texto de este mensaje. Leemos también en Santiago 1:18 que Dios nos engendra o hace nacer con la Palabra de verdad.

El Espíritu Santo obra con gracia por medio de la Palabra de Dios para llevarnos a Cristo y a la salvación. El Espíritu de Dios inicia la obra de salvación; él también la finaliza. El Espíritu Santo se mueve en una manera soberana en el corazón y en la mente del que está perdido para hacer que la verdad de Dios sea viviente en el corazón de aquella persona. El nos lleva al arrepentimiento y a la fe. Tenemos vida debido a la actividad del Espíritu divino dentro de nuestras mentes y corazones.

Cada persona debe creer por sí misma. El texto en Juan 3:16 afirma que "todo aquel que en él cree" puede tener vida eterna. El hombre debe aceptar o recibir a Cristo por sí mismo (Juan 1:12; Hechos 16:31). El agua que no se bebe no apaga la sed y la comida que no se come no puede satisfacer el hambre, el dolor ni la inanición. Si la humanidad ha de tener vida eterna, entonces el hombre debe aceptar lo que el Dios todopoderoso hace por nosotros en Jesucristo.

DATOS PARA EL ARCHIVO:

Fecha:_____

Ocasión:_____

Lugar:_____

38

¿POR QUE DEJA LA GENTE A CRISTO?

¿Queréis acaso iros también vosotros? — Juan 6:67.

Jesús preguntó: "¿Queréis acaso iros también vosotros?" Simón Pedro respondió diciendo que el que deja a Jesús no tiene otro refugio. La gente deja a Jesús. ¿Por qué lo hace?

I. ALGUNOS DEJAN A JESUS PORQUE NO TIENEN LA FE VERDADERA

Juan se quedó con Jesús en el desierto cuando las multitudes se fueron. Años después él escribió en 1 Juan 2:19: "Salieron de nosotros, pero no eran de nosotros." Muchos en la historia de nuestro texto siguieron a Jesús por mera curiosidad. Ellos querían ver que se realizara otro milagro. Algunos le siguieron por el pan que podían lograr. Otros le siguieron por la popularidad momentánea de estar junto a un líder. Pero éstos no tenían el amor de Cristo en sus almas. Ellos no tenían una piedad vital. Realmente, no creían en Jesús hasta el punto de dejarle llegar a ser el Señor y Salvador de la vida.

II. ALGUNOS DEJAN A JESUS PORQUE NO LES GUSTAN SUS ENSEÑANZAS

En los versículos en Juan, el Señor dijo: "Yo soy el pan vivo que descendió del cielo." Los seguidores curiosos dijeron: "Dura es esta palabra; ¿quién la puede oír?" Hay algunos que no les gusta la enseñanza clara de que Cristo es la fuente y el sustento de la vida.

Cristo dijo que el que comete pecado "es siervo del pecado". Hubo otras ocasiones en que la gente se apartó de él por esa enseñanza. Algunos todavía lo hacen. Jesús dice que el pecado trae esclavitud, pero algunos no lo aceptan.

Jesús es nuestro único camino a la vida eterna. Juan 14:6 dice: ". . . nadie viene al Padre sino por mí". Una religión no nos llevará a Dios. Esto ofende a algunas personas.

III. ALGUNOS DEJAN A JESUS POR LA INFLUENCIA DE OTROS

En la multitud de miles aquel día cuando Jesús realizó el milagro de la multiplicación de los panes, seguramente algunos querían quedarse con él. Sin embargo, cuando se sintió el "tirón" de los miembros de la familia y de los amigos que tomaban rumbo a sus hogares, ellos fueron con la multitud.

Los estudiantes a veces siguen a los amigos que no van a la iglesia y que no tienen tiempo para Dios en sus vidas. Y cuando los amigos echan a Dios de su vida, esos líderes llevan a otros junto con ellos. Los padres muy a menudo no tienen tiempo para Dios. Los hijos siguen en sus pasos.

IV. ALGUNOS DEJAN A JESUS PORQUE NO ADVIERTEN LO QUE PIERDEN

Este pasaje está cargado de sugerencias acerca de la pérdida eterna para aquellos que abandonan a Cristo. Considere las pérdidas.

1. Esperanza de Inmortalidad. Una persona pierde la esperanza de inmortalidad si deja a Jesús. En el pasaje, Simón Pedro dijo: "Señor, ¿a quién iremos? Tú tienes palabras de vida eterna." Algunos llegan hasta el mismo umbral y se alejan de Jesús y pierden todo lo que Dios les hubiera dado.

2. El Gozo del Perdón. Una persona pierde el gozo del perdón de los pecados si deja a Jesús. Jesús quita todas las manchas de la vida. El nos da limpieza y borra todas nuestras malas acciones. Podemos tener una conciencia limpia. No tenemos que andar en condiciones de impotencia y desesperanza.

3. Las Oportunidades de Servicio. Una persona pierde las oportunidades del servicio a Dios si se aleja de Jesús. El mayor privilegio y oportunidad de servicio jamás dado a un hombre llega cuando se rinde la vida a Jesús. Cuando vamos a él, nosotros también podemos ser pregoneros del mensaje de Jesús a la gente en cada lugar donde vayamos.

Recuerde que cuando dejamos que Jesús sea el Salvador y Señor de la vida, él nos pondrá en un lugar de servicio que está más allá de comparación.El compromiso más grande es aquel que hacemos con Cristo, quien nos da vida eterna.

DATOS PARA EL ARCHIVO:

Fecha:_____

Ocasión:_____

Lugar:_____

39
¿POR QUE EL ESPIRITU SANTO?

Pero cuando venga el Espíritu de verdad, él os guiará a toda la verdad... — Juan 16:13.

Después de su muerte y resurrección corporal, Jesús permaneció sobre la tierra entre su propio pueblo por cuarenta días. Al final de ese tiempo, Jesús ascendió al cielo. Alrededor de 120 seguidores permanecieron en Jerusalén por diez días después que él hubo regresado al cielo. Al final de aquella reunión de oración de diez días, Jesús "derramó" su Espíritu Santo. El Espíritu Santo vino a "llenar" su iglesia, su pueblo. Podemos preguntar: "¿Por qué el Espíritu Santo?" El vino para permanecer dentro del propio pueblo de Dios. Consideremos algunas razones de ¿por qué el Espíritu Santo está aquí?

I. EL ESPIRITU SANTO ESTA PRESENTE PARA HACER QUE JESUS SEA REAL PARA NOSOTROS

Durante su vida terrenal, Jesús no podía estar en cada lugar con todo su pueblo. El estaba limitado por un cuerpo físico. Sin embargo, cuando Cristo regresó al cielo, él envió su propia presencia por medio del Espíritu Santo para estar con nosotros. Jesús no está nunca ausente. El dijo: "Yo estoy con vosotros todos los días..."

1. Cuando Estamos Cansados. Jesús está con nosotros cuando estamos cansados. Los domingos por la mañana son un mal tiempo en la vida de la gente. Más de uno va a dormir al templo. La semana ha sido pesada. Deseamos que el culto sea en martes o jueves, ¡pero no este día! Estamos frustrados y cansados. Pero cuando alguien está agotado, Jesús está presente para ayudar. Mateo 11:28-31 tiene sus palabras: "Venid a mí todos los que estáis trabajados y cargados, y yo os haré descansar." Jesús puede dar descanso al cansado.

2. Cuando Tenemos Dificultades. Jesús está con nosotros cuando tenemos dificultades. ¿Por qué tenemos dificultades? La inflación en algunos países como México y Brasil llegó tan alta como a dos mil por ciento al año en 1985. Tenemos toda clase de dificultades. Podemos mencionarlas, pero la mayoría de la gente no quiere escuchar. Pero Jesús lo hace. El prometió ayuda para la gente atribulada. Juan 14:27 dice: "La paz os dejo... No se turbe vuestro corazón, ni tenga miedo."

3. En los Triunfos. Jesús está con nosotros cuando triunfamos. Cuando tenemos victoria y regocijo, Jesús está listo para aumentar sus bendiciones. Los discípulos regresaron de una misión de predicación con relatos entusiastas en cuanto a lo que Dios había hecho (Lucas 10:17-20). Jesús se regocijó en su victoria y les dijo que sus nombres estaban escritos en el cielo. El Espíritu Santo es la garantía de la presencia de Cristo con su pueblo en todo tiempo. (Ver Juan 16:13, 14.)

II. EL ESPIRITU SANTO ESTA PRESENTE PARA ORAR POR NOSOTROS

Sabemos que Jesús ora por nosotros. En el cielo, una gran parte de su tarea es la de interceder por nosotros. Hebreos 7:25 nos recuerda esta verdad. También hemos de recordar que el Espíritu Santo de Dios ora por nosotros. Romanos 8:26, 27 dice que el Espíritu Santo "intercede por nosotros con gemidos indecibles". A veces estamos conscientes de esto, a veces no. Pero él está allí.

III. EL ESPIRITU SANTO ESTA PRESENTE PARA ENSEÑARNOS

Necesitamos instrucción y enseñanza. El maestro más grande jamás conocido fue Jesús. Luego él se fue. Pero Jesús dijo que el Espíritu Santo vendría y les recordaría todas las cosas (Juan 14:26).

El Espíritu nos enseña la Palabra de Dios. El debe hacerlo, porque es el autor de la Biblia. Y el Espíritu Santo que se movió entre los escritores bíblicos para escribir las Sagradas Escrituras es aquel que nos abre la Biblia y nos da el entendimiento del Libro de Dios (1 Corintios 2:11, 14). El Espíritu de Dios es nuestro maestro.

El Espíritu nos enseña el camino y la voluntad de Dios. El nos guía, así como él guió a Pablo en sus viajes misioneros. El joven y el anciano, el estudiante y el piloto, el electricista y el cocinero pueden tener el camino de Dios revelado y enseñado por el Espíritu Santo. El nos enseña la Palabra de Dios y el camino de Dios.

IV. EL ESPIRITU SANTO ESTA PRESENTE PARA HACER QUE LA IGLESIA SEA FUERTE Y SANTA

La gente redimida y regenerada forma el cuerpo de Cristo. El Nuevo

Testamento también lo llama la iglesia. El Espíritu Santo nos convence de pecado y de nuestra necesidad de Salvador. El apela para que dejemos a Jesucristo ser el Señor de la vida. Aquellos que reciben a Cristo como Señor son "introducidos" ("bautizados") en el cuerpo místico-espiritual de Cristo: la iglesia. Somos unidos espiritualmente con Jesús, y formamos una parte vital de su cuerpo, la iglesia. El Espíritu Santo quiere que seamos fuertes y sanos. El pueblo de Dios está diseñado para ser dinámico, brillante, vibrante.

1. **El Cuerpo de Cristo Llega a Ser Sano Cuando Estamos Unidos.** Nos reunimos juntos. El ideal es mantener a todos los miembros intactos. No necesitamos perder un dedo de la mano o del pie, una oreja, o un pie en el cuerpo espiritual de Dios. Pablo dice en Efesios 4:3: "Solícitos en guardar la unidad del Espíritu en el vínculo de la paz." El dice que debemos luchar/ trabajar/obrar para mantener o guardar la unidad. El Espíritu Santo dice que debemos luchar por la unidad.

2. **El Cuerpo de Cristo Llega a Ser Sano por Medio de la Adoración.** El Espíritu de Dios nos guía a reconocer, adorar y alabar al Señor. Quizá necesitamos ser un poco más entusiastas en nuestros cultos del domingo por la mañana. Un culto serio, frío y formal no es una adoración espiritual. Capte aquella escena en Apocalipsis con la multitud alrededor del trono de Dios y usted verá un verdadero culto de adoración. Escuche a Pablo y a Silas mientras cantan y testifican al carcelero de Filipos, como leemos en Hechos 16, y tendremos un cuadro de adoración. Imagine a Jesús marchando a Jerusalén y a las multitudes cantando: "¡Bendito el rey que viene en el nombre del Señor" (Lucas 19:37, 38), y tendremos un cuadro de cómo debería ser un culto de adoración.

3. **¡El Espíritu Santo Nos Guía a una Adoración Vital!** ¿Podemos ser más entusiastas en los cultos debido a la victoria que tenemos en y por medio de Jesucristo? El Espíritu Santo trae nueva salud y fortaleza a la iglesia por un culto vital de adoración, alabanza, oración, comunión y proclamación. El Espíritu de Dios quiere sacarnos de las funerarias y mortuorias, y ponernos en un centro de alabanza. David escribió: "Jehová habita en las alabanzas de su pueblo." Sin embargo, los movimientos físicos no son necesariamente una señal segura de adoración. El Espíritu de Dios quiere que seamos espirituales, no carnales, en la adoración. ¡El quiere que el cuerpo de Cristo sea sano!

El Espíritu de Dios ruega y apela hoy a cada persona a que permita que el Señor tenga un control pleno de su vida. El Espíritu Santo no fuerza a nadie. Debemos entregar nuestras vidas a Jesucristo. A. A. Pollard, en el himno, expresa claramente esta verdad:

> Haz lo que quieras de mí, Señor;
> Tú el Alfarero, yo el barro soy;
> Dócil y humilde anhelo ser;
> Pues tu deseo es mi querer.

DATOS PARA EL ARCHIVO:

Fecha:_____

Ocasión:_____

Lugar:_____

40

EL SIGNIFICADO DE LA RESURRECCION DE CRISTO

A este Jesús resucitó Dios, de lo cual todos nosotros somos testigos — Hechos 2:32.

Jesús es y siempre era Dios. El fue muerto. Al tercer día resucitó de los muertos. La resurrección da significado a la vida cristiana. Esa es la razón por la que hablamos acerca de la resurrección a lo largo de todo el año, tanto como en cuanto a su muerte y a la dádiva de su Espíritu. ¿Qué es lo que significa que Jesús volvió a la vida desde la tumba? ¿Hasta dónde alcanza?

I. LA RESURRECCION ES LA BASE DE UNA FE VITAL

La fe en el poder de Dios es posible por medio de la resurrección de Jesús. Dios ha mostrado su poder muchas veces y de muchas maneras antes de que Jesús muriera en la cruz. Pero la denominación más grande de ese poder se expresó en la liberación de Jesús del poder terrible y punzante de la muerte (Hechos 2:24). Si Cristo hubiera permanecido como un prisionero de la tumba, nadie hubiera tenido esa fe vital.

La fe en la provisión de Dios es posible por medio de la resurrección de Jesús. Jesús murió para salvarnos de nuestros pecados. El nos libera del mal. Abraham pronunció palabras de importancia eterna en Génesis 22:8: "Dios se proveerá de cordero para el holocausto, hijo mío." Dos mil años después Jesús cumplió aquellas palabras. Y ahora 1 Juan 1:7 se puede hacer real en nuestras vidas, porque Jesús murió y resucitó de entre los muertos. Dios provee redención y vida.

II. LA RESURRECCION ES LA BASE PARA UNA VIDA VICTORIOSA

El fracaso es aparente en todas partes. ¡El colapso moral y espiritual sacude aun a los predicadores! Queremos levantar las manos en señal de derrota. ¿Cuál es nuestra esperanza? ¡El Cristo viviente!

La vida victoriosa es la vida del Espíritu más bien que la vida del ego. ¡Debemos aprender esta verdad! Recordemos al predicador de este texto. Simón Pedro predicó el sermón. Y recordamos también que unos días antes, él tuvo muchas caídas porque caminaba en la vida autocentrada, no en la vida del Espíritu.

A menudo caminamos en las huellas de Simón Pedro: la vida autocentrada. Por medio de su Espíritu Santo, Jesús quiere controlar y dirigir nuestras vidas. Simplemente caigamos de rodillas ante el Señor de la gloria y digámosle que nos tome, dé nueva forma y moldee o quebrante, que nos llene y haga que nuestra vida sea controlada por el Espíritu.

La vida victoriosa es la vida fructífera versus la vida de fracaso. Algunos dejan de enseñar en la escuela dominical, otros dejan de predicar y otros dejan a sus familias y sus trabajos cuando sienten el impacto del fracaso. Llegamos a estar desilusionados como le pasó a Pedro en el juicio de Jesús. Queremos huir como Simón Pedro y llorar por nuestras negaciones y fracasos. Pero Dios nos quiere para tener victoria, no tristes derrotas y huídas.

En Juan 21 podemos leer una buena "historia de pescadores". Los discípulos tuvieron una noche solitaria e infructífera de pesca, con sus redes vacías de peces una y otra vez. Luego vino Jesús. El hizo la diferencia. Les dijo que echaran sus redes hacia el otro lado del barco. Ellos lo hicieron y capturaron 153 peces grandes.

Puede ser, quizá puede ser, que hemos estado pescando en el "lado equivocado" del barco por demasiado tiempo. Puede que hayamos estado haciendo lo mismo y con la misma gente, sin alcanzar nuevas aguas, nuevos peces y nuevas experiencias. Todos nosotros podemos "ir juntos" y ver una diferencia. Juan 14:12 hará que la aguja de nuestro "sismógrafo espiritual" salte como loca. En ese texto se nos habla de la vida fructífera que podemos tener. Podemos hacer todo lo que Dios quiere que hagamos. Debido a que Jesús está vivo, él puede sacudir las telarañas de nuestras vidas y quitar los hongos de todos los santos. Podemos gozar la plenitud de frutos.

III. LA RESURRECCION ES LA BASE PARA UN TESTIMONIO ATREVIDO

Este capítulo y todo el libro de Hechos nos brindan sermones que "mueven el corazón". Vemos la testificación en su mejor forma en este libro de Hechos por el doctor Lucas.

El testimonio acerca de Jesús debe ser amigable. Mateo 11:19 y Lucas 7:34 dicen que Jesús es el amigo del pecador. Nicodemo, Zaqueo, María

Magdalena y muchos otros dan testimonio de la amistad que se encontraba en el Salvador.

El testigo en favor de Jesús no debe tener temor. Un vendedor de zapatos nunca se disculpa por los zapatos que vende. Un vendedor de alimentos o seguros nunca dice: "Espere hasta la semana próxima y votaremos si venderle o no este producto." Es ahora. Y así ocurre con Jesús. No tenemos que pedir disculpas ni vacilar en decir al mundo que Jesús es el Hijo de Dios en plenitud y gloria, y que él salvará a cada alma que esté perdida y en camino al infierno. Dejemos de pedir disculpas por ser cristianos y dejemos de avergonzarnos de Jesús. Los jugadores de futbol y los espectadores se entusiasman y esfuerzan por alcanzar el triunfo. ¡Ojalá nosotros fuéramos atrevidos para realizar la obra de Dios!

IV. LA RESURRECCION ES LA BASE PARA UNA ESPERAN-ZA VITAL

Jesús brinda la emoción que llena el alma y da gozo y esperanza, no desesperación y tristeza. ¡Si tan sólo conociéramos la esperanza que da la resurrección de Cristo!

El Cristo viviente y resucitado da la esperanza de una vida significativa y con propósito para hoy. Eric Hoffer dijo: "El comunismo puede poner pan en las mesas y camas en los dormitorios, pero los deja tristes y vacíos." Jesús dijo que esta era no puede darnos felicidad verdadera. Y Dios nos da esperanza y propósito en medio de las épocas más difíciles de la vida.

El capellán Andrews, del Hospital Bautista en Beaumont, Texas, vio a su esposa cuando estiraba sus brazos para alcanzar a su hijo de veintiún meses. En ese momento el niñito arrojó la mamadera que golpeó a la madre entre los ojos. El nervio óptico fue dañado y tres días después la mamá estaba ciega. Tres meses después el niñito enfermó de pulmonía. Vino el doctor y le dio penicilina, y luego los padres corrieron al hospital con el niño. En camino, el niñito murió en los brazos de la mamá ciega. Agonía, dolor, quebrantamiento de corazón. Pero en medio de los problemas de la vida, Jesús brinda significado. ¡El está vivo!

El Cristo viviente da una esperanza que es eterna. El Nuevo Testamento repite este mensaje una y otra vez (2 Timoteo 1:10; Filipenses 3:21; 1 Juan 3:2; Romanos 8:11). Todos nosotros hemos testificado de la pérdida de seres queridos y amigos. Pero esta no es una "despedida" para el pueblo de Dios. Un nuevo día nos espera debido al Salvador viviente.

Hace mucho tiempo, el reformador Savonarola estaba por ser quemado hasta la muerte por su fe. El gritó: "Ustedes pueden matarme si quieren, pero nunca podrán, nunca, quitar al Cristo viviente de mi corazón." Jesús está vivo y él quiere tener su lugar en nuestros corazones.

DATOS PARA EL ARCHIVO:

Fecha:_____

Ocasión:_____

Lugar:_____

41

JESUS ES SEÑOR

. . . os ha nacido hoy. . . un Salvador, que es Cristo el Señor
— Lucas 2:11.
. . .a este Jesús a quien vosotros crucificasteis, Dios le ha hecho Señor y Cristo — Hechos 2:36.

No debemos permitir que la vida sea controlada y arruinada por el mal. Jesús quiere ser Señor de la vida y él brinda lo mejor que una persona pueda jamás tener. De hecho, en el Nuevo Testamento hay más de 600 referencias a Jesús como SEÑOR. Dos de esas referencias son las que usamos arriba. Una viene de la época de su nacimiento, cuando el ángel anunció: "Os ha nacido hoy. . . un Salvador, que es Cristo el Señor." La otra referencia se encuentra en el sermón en Pentecostés, que dice: "Dios le ha hecho Señor y Cristo." Recordemos otra cita famosa del señorío de Jesús en Hechos 16:31. Pablo dijo al carcelero de Filipos: "Cree en el Señor Jesucristo, y serás salvo, tú y tu casa." Otra vez, en Filipenses 2:9-11 leemos que después que Jesús se vació a sí mismo y de morir la muerte horrible de la cruz, "Dios. . . le dio un nombre que es sobre todo nombre, para que en el nombre de Jesús se doble Toda rodilla. . . y Toda lengua confiese que Jesucristo es el SEÑOR. . ." Sea ahora o en el juicio, todos reconocerán que Jesús es Señor. ¡Jesús es SEÑOR! Esto significa que él está en el control de la vida. Esto significa que él es soberano y dueño. El tiene el derecho de invadir mi vida y llegar a ser principal. Es el Rey, el gobernador. ¿Por qué es así?

I. SU PERSONA NOS RECUERDA QUE JESUS ES SEÑOR

1. Jesús Es el Dios Eterno. Su vida no comenzó en su nacimiento físico. El ha vivido por siempre. Miqueas 5:2 nos cuenta esta historia de la eternidad de Cristo. Entonces recordamos la oración de Jesús en Juan 17:5, cuando el Señor pidió al Padre: "Glorifícame tú para contigo, con aquella gloria que tuve contigo antes que el mundo fuese." Sí, Cristo es el eterno.

2. Jesús y Su Grandeza. Jesús es el Superior. En su propia persona es más grande que todos los demás, porque él es Dios. ¿Quiere algunas pocas indicaciones de su grandeza? Piense en los filósofos del mundo. Ha habido muchos "pensadores" que han aparecido en la historia: Aristóteles y Platón en la Grecia antigua, Salomón entre los hebreos y Unamuno en nuestra propia generación en España. Se los recuerda como grandes hombres. Pero Jesús es "la sabiduría de Dios". Considere a los líderes religiosos: Buda, Mahoma y los modernos "nuevos engendros". Pero Jesús los supera a todos como el Señor resucitado y viviente. Considere a los líderes militares como Alejandro el Grande, Napoleón y San Martín de Argentina. Pero Jesús formó un ejército espiritual que nunca será derrotado. El supera a todos los demás.

II. SU PODER NOS RECUERDA QUE JESUS ES SEÑOR

En nuestro mundo hay todo tipo de poder que trata de ejercerse. Luchamos por el poder, por el lugar de preeminencia. Pero todo el poder y la autoridad le pertenecen a Jesús. El tiene el derecho de ser el Señor porque últimamente todo el poder está en sus manos.

El poder de la creación pertenece a Jesús. Colosenses 1:16 dice que todo fue creado por Jesús y que todo es sostenido por él. La evolución no trajo este mundo a su existencia ni lo mantiene. Cristo es el único que hace todo esto. Cuando Jesús nació en Belén, una estrella desde el Este se movió milagrosamente y se detuvo sobre el lugar donde estaba Jesús. Pues Jesús había hecho aquella estrella y a todos los millones de las demás en el espacio. ¡El es el Señor de la creación!

III. SU PLAN PARA SU PUEBLO NOS RECUERDA QUE *EL* ES SEÑOR

Nuestras vidas no son como pedazos de madera en un río, llevadas por las olas y las corrientes de agua. Jesús tiene un propósito para nosotros (ver Isaías 46:9, 10).

El quiere redimirnos para que sirvamos para la gloria de Dios. Los sabios le sirvieron cuando vinieron y le adoraron en su nacimiento. Pedro lo hizo en la predicación en Pentecostés. Un poco antes, Jesús había dicho a Pedro, en Juan 21:21, que el asunto urgente era seguirle y hacer su voluntad.

No hemos de tener una vida desperdiciada, sino de servicio. Su plan es nuestra participación dondequiera exista una necesidad. Jesús quiere que todos compartan la gloria de Dios en el futuro. ¿Estamos listos para que Jesús sea el Señor de la vida?

DATOS PARA EL ARCHIVO:

Fecha:_____ _____

Ocasión:_____

Lugar:_____

42

COMO TRASTORNAR EL MUNDO

*Estos que trastornan el mundo entero también han venido
acá* — Hechos 17:6.

Cuando el apóstol Pablo llegó a la ciudad de Tesalónica, permaneció allí por tres semanas. Una gran multitud llegó a creer en Jesús en aquella ciudad griega. Repentinamente, los judíos reunieron a todos los "hombres malos" que pudieron encontrar. Delante de las autoridades, gritaron: "Estos que trastornan el mundo entero también han venido acá."

En realidad, aquellos misioneros sólo habían puesto al mundo donde correspondía. ¿No nos gustaría participar en una revolución espiritual como aquella? Sería un gran día si pudiéramos invadir nuestros pueblos, ciudades y mercados, y ver una gran multitud que llegara a la fe y a la aceptación de Jesucristo. ¡Podemos trastornar al mundo! Podemos hacer un impacto sobre el mundo. ¿Cómo?

I. CUANDO LA PRESENCIA DE CRISTO NOS LLENE

Necesitamos a Dios para llenar a cada creyente con su presencia. A menudo estamos tremendamente vacíos y sin la presencia poderosa de Dios; pero Dios quiere invadir nuestras vidas y darnos su plenitud.

1. Debemos Ser Convertidos. Después de su conversión, Pablo viajó al desierto de Arabia. Regresó, pasando por la ciudad de Jerusalén después de los tres años en el desierto, y pasó quince días con Simón Pedro (Gálatas 1:18). Regresó a Tarso, su pueblo natal, donde permaneció en oscuridad alrededor de nueve años. Luego Bernabé necesitó a Pablo y lo llevó a Antioquía de Siria (Hechos 11:24). Después de su primer viaje misionero, Pablo y Bernabé no continuaron juntos, y Pablo y Silas se convirtieron en compañeros. Cuando llegaron a la ciudad de Tesalónica, Pablo estaba tan lleno con la gloria y el poder de Dios que su predicación llevó multitudes a la fe en Cristo.

2. Debemos Tener Su Plenitud. La plenitud de Dios en la vida del creyente trastorna al mundo. Hace años un noble en Inglaterra viajaba hacia una pequeña villa. Buscaba algún bar en el que pudiera conseguir un trago de licor. No encontró ese lugar. Finalmente, paró a un aldeano y preguntó: "¿Hay algún lugar en esta villa miserable donde un hombre puede conseguir un trago de licor?" El aldeano respondió: "Yo no sé si esta es una villa 'miserable' o no, pero usted no puede encontrar un trago en nuestro pueblo porque hace unos cien años un predicador llamado Juan Wesley vino aquí, y no tenemos nada de licor desde aquella época." ¡Un hombre lleno con la presencia de Dios cambia su mundo! Cuando nos consagramos al Señor, él nos llenará. ¿Estamos listos para esa plenitud?

II. CUANDO OREMOS

Sabemos que Pablo y Silas fueron hombres de oración. Ellos probablemente pasaron muchas horas en oración antes de que llegaran a la ciudad griega de Tesalónica. Aquel pueblo fue "sacudido" por el poder de Dios cuando ellos oraron.

1. La Oración Nos Prepara. La oración nos prepara para que el Espíritu Santo pueda usarnos. Dios está siempre listo para obrar. Oremos para estar en una condición espiritual tal que Dios pueda usarnos para trastornar al mundo.

2. La Oración Libera. La oración libera a los incrédulos a fin de que ellos puedan llegar a la fe en Cristo. Pidamos a Dios que obre en aquellos que necesitan ser salvos para que puedan ser receptivos a la Palabra y al mensaje de Dios.

3. La Oración Compromete. Si tuviéramos varias familias que se comprometieran a orar treinta minutos o una hora por día, estaríamos preparados para hacer obras poderosas para Dios. Todos los grandes avivamientos del mundo han comenzado cuando cientos y miles de personas oraron. No debemos pasar por alto la clave de la oración en todo tiempo si queremos trastornar al mundo.

III. CUANDO SEAMOS ATRACTIVOS

Pablo y Silas tenían buenas y amigables relaciones con la gente entre la que vivían y a la cual testificaban. No tenemos ningún registro de que los prisioneros en la cárcel de Filipos se quejaran de Pablo y Silas·mientras ellos cantaban a la medianoche. Aun el carcelero y su familia tenían respeto y aprecio por aquellos dos "santos cantores".

La buena relación que Pablo estableció con los bárbaros de la isla Malta de (Hechos 28:6) muestran que Pablo sabía la importancia de llevarse bien con la gente. Pablo y Silas sabían cómo "estar bien" con otros. Aun cuando nuestras ideas son diferentes de las de otros, debemos tener sentido común ("¡seso!") para llevarnos bien con otros.

IV. CUANDO PROCLAMEMOS EL EVANGELIO

Pablo lo hizo. La historia en cuanto a Pablo en Hechos 17 es una demostración clara de su predicación acerca de Jesús. Proclamemos a Jesús como Señor. Pablo y Silas tuvieron una experiencia inolvidable en la ciudad de Filipos cuando dijeron al carcelero: "No te hagas ningún mal..." (El carcelero se había preparado para suicidarse, pensando que sus prisioneros habían escapado.) El carcelero tembló, diciendo: "¿Qué debo hacer para ser salvo?" Pablo y Silas le dijeron que creyera en Jesucristo. El lo hizo, y toda la familia llegó a ser cristiana. Debemos predicar a Jesús una y otra vez. El hombre pecador debe conocer que es responsable ante Dios. Proclamemos su evangelio a todos.

En su libro *Compelled by the Cross* (Motivado por la cruz), J. Terry Young cuenta la historia de "John Doe", que se unió con un grupo de otros jovencitos una noche en que robaron una licorería en una ciudad del sur de Estados Unidos. Durante el robo, el dueño de la licorería estiró su mano bajo la caja, como si buscara un arma. "John Doe" disparó rápidamente y mató al hombre. Los jovencitos huyeron. Más adelante, John se incorporó a la Marina para escapar tan lejos como pudiera de la escena del crimen. Una noche en San Diego, California, caminó a lo largo de una calle y oyó cantar. Entró en un edificio en el cual estaba desarrollándose una reunión de evangelización. Un mensaje poderoso acerca del poder salvador de Cristo movió su corazón, y luego respondió durante la invitación.

El tiempo siguió corriendo. John dejó el servicio militar y volvió a su casa. Habló con un pastor bautista acerca de su crimen, y juntos vieron a un abogado y le hicieron saber del crimen. Pronto el joven criminal comenzó su condena en la penitenciaría del Estado.

En su libro, el doctor J. Young dice que visitó a "John Doe" varias veces en la cárcel. Durante una visita, el alcaide comentó al doctor Young: "Yo espero que su amigo nunca salga en libertad condicional." El profesor del Seminario y escritor fue sacudido por esa afirmación y preguntó el porqué. "Bien", dijo el alcaide, "cuando llega un criminal terrible aquí, lo ponemos en la celda con John. A los pocos días, John y su compañero de celda vienen a mi oficina y me cuentan que el nuevo interno ha entregado su vida a Cristo." ¡El alcaide no quería que se fuera esa clase de persona!

Durante sus ocho años en la penitenciaría del Estado, John ganó a más de 200 criminales para la fe en Cristo. Después de salir en libertad condicional, John logró graduarse de la universidad y alcanzó un doctorado. Ahora sirve como un cristiano vibrante en un ministerio importante hacia otros.

El mundo necesita ser transformado. Ese mundo puede ser el mundo de nuestra familia, de ios negocios, de la escuela o del barrio que necesita ser trastornado o transformado. Dios usará a persona como usted y como yo para producir el cambio espiritual que es necesario. ¿Estamos listos para la tarea?

DATOS PARA EL ARCHIVO:

Fecha:_____

Ocasión:_____

Lugar:_____

43

LA VIDA CRISTIANA ES LA MEJOR VIDA

Pero levántate, y ponte sobre tus pies; porque para esto he aparecido a ti, para ponerte por ministro y testigo... — Hechos 26:16.

El apóstol Pablo tenía realmente una vida interesante antes de llegar a ser un cristiano. Pero cuando entregó su vida a Jesucristo, supo que tenía la mejor vida que nadie pudiera tener. Leemos en la Biblia la historia de su conversión. Pablo nunca se cansó de contar esa experiencia. Cuando se encontró con Cristo, Pablo alcanzó la vida superior, la única vida real "en plaza". ¿Nos preguntamos a veces por qué la vida cristiana es tan grande? Consideremos tres razones para la grandeza de la vida de un cristiano.

I. TODOS NUESTROS PECADOS SON PERDONADOS

Todos debemos admitir que la vida puede convertirse en confusa y torcida en una u otra oportunidad. Tenemos períodos de pecados y carencias. Si confesamos todos los pecados que hemos cometido en este mismo momento, este lugar sería un centro confesional espantoso. La Biblia dice: "No hay justo, ni aun uno." Pero la gloria de la vida cristiana es que todos nuestros pecados son eliminados por medio de la sangre de Jesús que da vida.

1. Rechazar a Jesús. El pecado de rechazar a Jesús como Señor y Salvador está en el primer lugar. Es el pecado que separa eternamente al alma de Dios y hace que una persona vaya al infierno. Fue el pecado de Pablo por mucho tiempo. El no creía en Jesús como el Mesías. Decir que no a Jesús es fatal. El es Dios en carne humana. El es divino. ¡El es Dios! Negarle es negar a Dios. Jesús murió por nosotros. El dio su vida en la cruz por nuestro pecado y resucitó para nuestra justificación. Es el único mediador entre Dios y el hombre (1 Timoteo 2:5).

2. Abusar de Otros. El pecado de maltratar a otros puede ser perdonado. Pablo tenía la marca de aquella culpa en su vida. Recordemos la historia de Pablo como se cuenta en Hechos 7:58. El cuidó las ropas de aquellos que asesinaron a Esteban, dando su aprobación a ese crimen.

El pecado de abusar de otros debe ser solucionado. La gente abusa de los demás más frecuentemente que lo que admitimos. Las naciones abusan las unas de las otras. Se puede tomar ventaja de otro en todo tipo de tratos. Las naciones abusan de sus propios ciudadanos. Algunos políticos, burócratas o negociantes se enriquecen mientras los que les rodean permanecen en la pobreza.

El abuso ocurre también dentro de la vida familiar. A veces los esposos abusan de sus esposas. Las historias tristes de soledad y desesperación que enfrentan algunas esposas año tras año quebrantan el corazón de cualquiera que las oye. ¡A veces la esposa puede abusar del esposo! A veces los hijos enfrentan abusos. Los padres no les dan tiempo, tiempo cualitativo. El padre puede estar más interesado en el fútbol que en su hijo de cinco años o en su hija adolescente. La madre en el hogar puede descuidar a la familia por su propia diversión. Sabemos que las drogas y el alcohol hacen que "el hogar sea un infierno" para mucha gente. Los que maltratan a otros deben ponerse al día con sus confesiones. Los que abusan de otros pueden ser perdonados. Los cristianos podemos tener "la mejor vida" cuando reconozcamos nuestros fracasos y pidamos a Dios y a otros que nos perdonen.

II. CRISTO VIVE EN MI

No sólo el Señor perdona nuestro pecado, sino que él vive dentro de nosotros. Esa es la razón por la cual la vida cristiana es tan grande. Esta es la esencia misma de la vida cristiana. Jesús no es simplemente un Cristo celestial y objetivo. El vive en mí. Ese es el significado de Colosenses 1:27: "Cristo en vosotros, la esperanza de gloria." Por medio de su Espíritu, Cristo vive en el cristiano.

1. Tengo Su Vida. Cristo en mí significa que yo tengo su vida. Esta es la vida que nunca muere. Tenerle es tener su vida. Jesús dice: "Y yo les doy vida eterna" (Juan 10:28). El dice: "El que permanece en mí, y yo en él. . ." (Juan 15:5). ¡La vida sin fin de Cristo está en nosotros! La misma esencia de la vida cristiana es el Cristo morando en nosotros.

2. Tengo Su Santidad. Cristo en mí o en nosotros significa que tenemos su santidad. Logramos su pureza. ¿Cuán santo era Jesús? ¡El siempre ha sido perfecto! En 2 Corintios 5:21 dice que somos hechos "justicia de Dios en él". En Filipenses 3:7-9 se afirma que tenemos la justicia de Cristo por la fe. Puesto que tenemos su justicia como nuestra, él nos capacita para vivir como deben hacerlo los "santos de Dios".

3. Tengo Serenidad. Cristo en nosotros significa que tengo su serenidad. "Haya, pues, en vosotros este sentir que hubo también en Cristo Jesús" (Filipenses 2:5). Logramos su confianza, su seguridad, su disposición. Las presiones de la vida pueden doblarnos, pero no quebrantarnos. Pablo conocía la calma en una tormenta, delante de un rey y frente al hacha del verdugo. Cristo puede "componernos" en los momentos más duros de la vida.

4. Tenenemos Su Ministerio. Cristo en nosotros significa que tenemos su ministerio. El vino para "servir, y para dar su vida en rescate por muchos" (Mateo 20:28). Cuando el Señor salvó a Pablo, éste escuchó que sufriría por Cristo. El serviría y predicaría. Cristo en nosotros nos pondrá también en el camino del servicio. Hemos de seguir su ejemplo. Somos sus discípulos. El cristiano es ahora un embajador del Señor de la gloria.

III. NUESTRO FUTURO ESTA ASEGURADO

Esta es la tercera razón por la cual la vida cristiana es la mejor. Realmente, no tenemos que perder el sueño acerca del mañana. Vendrán las guerras. Pueden llegar las enfermedades. Los desastres pueden golpear por todas partes. La muerte puede llamarnos, pero nosotros estamos seguros.

Dios cuidará de nosotros hasta que él esté listo para darnos la gloria. El cuidó de los tres jóvenes hebreos en el horno de fuego, de Elías, de Pablo y de todos los otros hasta que llegó el tiempo de su partida de esta vida. No tenemos que inquietarnos y angustiarnos acerca de nuestras circunstancias. Podemos confiar calmada y confiadamente en Aquel al cual pertenecemos.

Elías y Enoc fueron a la gloria sin morir. Nosotros podemos morir. Pero cuando lo hagamos, estaremos con él. En Filipenses 1:23 dice: "Partir, y estar con Cristo, lo cual es muchísimo mejor." Esto significa que no tenemos que temer y temblar delante del gran enemigo llamado muerte. Vamos a estar con Jesús.

Viviremos en un plano glorificado. Habrá llegado el fin de los dolores terrenales. El cristiano no agonizará por la edad, ni por el desastre de la enfermedad, ni por el dolor por el pecado. Estaremos con nuestro Señor glorificado. ¡Qué vida!

Vamos a vivir una vida sin fin. Para siempre significa "por los siglos de los siglos". Eso es más que la vida de 969 años de Matusalén. Esa vida nunca tendrá un atardecer. Nuestro futuro está asegurado. La vida cristiana es la mejor. Nuestros pecados son perdonados. Cristo vive dentro de nosotros y nuestro futuro está asegurado.

Pablo oyó la voz de Dios que le hablaba en el camino a Damasco. El abrió su vida al Salvador. Y la misma voz que habló a Pablo hace muchos años nos habla otra vez. Cada persona puede decir: "Señor, me entrego a ti, tómame ahora."

DATOS PARA EL ARCHIVO:

Fecha:_____

Ocasión:_____

Lugar:_____

44

EL SIGNIFICADO DEL PECADO

Por cuanto todos pecaron, y están destituidos de la gloria de Dios — Romanos 3:23.

En su libro *Christian Doctrine* (Doctrina cristiana), el doctor John Whale escribe en cuanto a la indiferencia terrible del hombre hacia el pecado. El dice que es como si una mujer estuviera comiendo un emparedado una noche en su jardín. Alguien grita: "¡Un león anda suelto por esta zona!" Ella se da vuelta sin ver a la bestia salvaje y continúa comiendo su emparedado. Podemos ser indiferentes al pecado, pero el pecado está presente con nosotros y tiene importancia.

La realidad del pecado está a nuestro alrededor. Los medios de comunicación nos cuentan todo tipo de historias acerca de asesinatos, borracheras, robos, perversiones sexuales, y una lista interminable de otras acciones sucias. En la Biblia nos enfrentamos cara a cara con la historia del pecado. Génesis no guarda silencio en cuanto a la maldad del hombre. En la época de los jueces leemos que "cada uno hacía lo que bien le parecía" (Jueces 21:25). El pecado aparece en la Biblia en las vidas de los conocidos y de los desconocidos. Salomón escribió que "no hay hombre justo en la tierra, que haga el bien y nunca peque" (Eclesiastés 7:20). Y ese es el mensaje de Isaías 64:6 y 1 Juan 1:8. Es también el texto de nuestro sermón. Podemos entender el significado del pecado. Podemos verlo por lo que realmente es. Al mismo tiempo, podemos estar seguros de que en Cristo podemos tener perdón y victoria sobre el pecado.

I. EL PECADO ES UNA DESVIACION DE LA MARCA DE DIOS

El texto resuena como el sonido de un trueno: "Por cuanto todos pecaron" (Romanos 3:23). La palabra "todos" no omite a nadie, excepto, por supuesto, a Jesucristo. Todos somos culpables. Pablo usa aquí el tiempo pasado. Pero usa también el tiempo presente: "Y están destituidos de la gloria de Dios." Este es un participio presente, que expresa acción diaria. Dado que usa el participio plural, una vez más él declara el hecho de que el pecado es universal, incluyendo a toda persona.

"Están destituidos" en el texto habla de estar detrás o ser inferior. Significa también tener defectos y estar debajo del standard que Dios ha establecido para nosotros. Es la idea antigua de "errar al blanco". En Jueces 20:16 se habla de aquellos de la tribu de Benjamín que podían tirar una piedra con la honda a un cabello y no erraban. Ellos podían dar en el blanco cada vez que lo intentaban. Nosotros NO SOMOS de la tribu de Benjamín. Erramos al blanco. ¡Nos quedamos cortos!

Job tuvo una visión de Dios y declaró su culpa en 42:6. Isaías tuvo una visión de Dios y confesó su impureza (6:5). Habacuc vio al Señor y declaró que él temblaba y que "temblaron mis labios" (3:16). Juan el vidente vio al Señor en Patmos y cayó a sus pies como si fuera un hombre muerto (Apocalipsis 1:17). Sí, todos somos pecadores y significa que nos hemos desviado de la marca de Dios.

II. EL PECADO ES DESOBEDIENCIA A LA PALABRA DE DIOS

El texto afirma: "Por cuanto todos pecaron." El pecado sin intención es tan malo como la desobediencia voluntaria y deliberada a la Palabra y la voluntad de Dios. En el comienzo de la historia humana, Adán y Eva pecaron. En Génesis 3 está la historia del pecado en su origen humano. ¿Qué es pecado? ¿Qué significa? Significa que somos desobedientes a Dios. Es nuestra rebelión contra el Señor del universo. Elegimos ir en nuestros propios caminos más bien que caminar en obediencia a Dios.

1. No Le Adoramos. Desobedecemos a Dios cuando fallamos en honrarle y exaltarle. El es digno de todo nuestro honor y alabanza. Puede que simplemente no le agradezcamos y exaltemos lo suficiente. Debemos honrarle en la hora de la comida, aun en lugares públicos, como Jesús lo hizo cuando partió los panes y los peces y alimentó a miles. Debemos agradecer a Dios por su bondad y honrarle en tiempos buenos como también en las épocas malas. El pecado es nuestro fracaso de alabar al Señor. ¡Debemos magnificar al Señor de la gloria!

2. No Mostramos Interés por Otros. Desobedecemos a Dios cuando fallamos en mostrar interés por otros. Jesús nos dice en Mateo 25 cómo debemos visitar a los pobres, a los encarcelados y a los enfermos. En otras palabras dice: "¡Muestra interés!" Qué historia triste de desinterés la que leemos en Génesis 37. Los hermanos de José llegaron a despreciarlo. Lo vendieron en esclavitud. Eso es pecado. La desobediencia a Dios es real en la vida familiar y en la vida de la iglesia. La indiferencia hacia otros es pecado.

3. Una Mala Mayordomía. Desobedecemos a Dios cuando fallamos en honrarle con nuestro tiempo, habilidades y posesiones. En Proverbios 3:9 se dice: "Honra a Jehová con tus bienes, Y con las primicias de todos tus frutos." Dios promete bendecirnos cuando hacemos eso. Fallar en hacerlo es desobedecer a Dios. Fallamos en reconocer el señorío de Cristo cuando guardamos todo para nosotros mismos.

4. Dejamos de Orar. Desobedecemos a Dios cuando fallamos en orar. Las familias deben orar juntas. Los hijos deben oír orar a sus padres y los padres deben oír orar a sus hijos. Los miembros de la clase de la escuela dominical deben tener la oportunidad de orar. Podemos dividirnos en grupos pequeños y orar en cualquier culto de la iglesia. Pida que su iglesia lo haga, aunque ese "cambio" pueda que no les guste a algunos.

III. EL PECADO ES DESTRUCCION POR EL PODER DEL DIABLO

El pecado lleva en sí su propia semilla de destrucción. Nadie quiere ser destruido. Sin embargo, cuando pecamos, ponemos la vida bajo el poder terrible y aplastante del pecado que destruye. Cuando Pablo escribió la carta a los Romanos estaba viviendo en Corinto. Vio a muchos bajo el hechizo del mal en aquella gran ciudad, en la cual predicó por alrededor de dieciocho meses. El clamó contra la idolatría, la bestialidad y la homosexualidad de su tiempo. El gran apóstol a los gentiles predicó y escribió en cuanto a "la paga del pecado".

Una noticia en el verano de 1986 decía que un Banco de Sangre de Rhode Island había enviado sangre a diecinueve hospitales en cuatro Estados, la cual se pensaba que había sido contaminada con el virus del SIDA. Por todas partes se ha proclamado la "libertad sexual" hasta el punto de que en las cortes defienden los "derechos" de aquellos que quieren vivir en la inmoralidad. Seguramente que Dios va a castigar el pecado de tolerar legalmente el estilo de vida desviado y pervertido de mucha gente.

El pecado recibe condenación y castigo de parte de Dios. Pablo nos dice en Romanos 1 que "la ira de Dios se revela desde el cielo contra toda impiedad e injusticia de los hombres" (v. 18). Dios castigará al pecador que continúe en su camino de pecado y rechace arrepentirse. El Señor dijo un día que él no toleraría más la maldad de Sodoma y Gomorra. Hizo llover fuego y azufre sobre ellos, destruyendo aquellas ciudades. Dios un día traerá un fin a los pecadores malvados que rechacen su voz. La verdad de la responsabilidad está escrita dentro de la conciencia del hombre y en la estructura misma del universo. Dios llamará al hombre a rendir cuentas. La humanidad no redimida necesita escapar del poder terrible del pecado. Jesús vino para redimirnos de la maldición del pecado y para darnos su propia justicia. Si recibimos a Cristo, seremos salvos del poder terrible del pecado. Jesús es el don de amor eterno de Dios y es vida para cada persona que cree en él.

DATOS PARA EL ARCHIVO:
Fecha:_____
Ocasión:_____
Lugar:_____

45

QUE LA IGLESIA SEA LA IGLESIA

Porque por un solo Espíritu fuimos todos bautizados en un cuerpo, sean judíos o griegos, sean esclavos o libres; y a todos se nos dio a beber de un mismo Espíritu — 1 Corintios 12:13.

I. LA IGLESIA ES UNA IGLESIA UNIDA

El texto afirma esta verdad en cuanto al cuerpo unido, la iglesia. Pablo trabajó en Corinto durante un año y medio, ganando convertidos y estableciendo la iglesia. Más tarde escribió esta carta a la iglesia "plagada de problemas", acerca de su necesidad de unidad.

Nuestra redención en Cristo es la base para la unidad. Aquellos corintios habían sido convertidos de los "ídolos mudos" al Señor viviente. Ahora somos "un cuerpo". Todos tenemos un nacimiento por medio del Espíritu Santo. Por ello, se necesita la unidad.

Nuestra renovación por medio del Espíritu Santo debe mantenernos unidos. En la conversión, TODOS hemos sido bautizados en el cuerpo de Cristo. Tenemos acceso a la vida abundante por medio del Espíritu de Dios. Vemos una descripción de esta abundancia en Ezequiel 47 y en Juan 7:37-39. Podemos ser continuamente renovados.

II. LA IGLESIA ES UNA IGLESIA DIVERSIFICADA

Somos su cuerpo, de "muchos miembros". La analogía es aquella del cuerpo humano con ojos, orejas, nariz, lengua, manos y pies. Dado que somos miembros diferentes de su cuerpo, somos "diversificados". Ninguno es un "igual a otro".

Se dan trabajos diferentes a los miembros diversos. Nuestra capacidad y área de servicio puede ser, y probablemente es, diferente de aquella de los otros. Algunos enseñan, cantan, sirven de ujieres, visitan, testifican y predican. Dios dirige a cada uno en su manera. Dios da a su pueblo dones diferentes de ministerio/servicio dentro y fuera de la iglesia. ¡Qué maravilloso es el pueblo de Dios!

Reconozcamos los unos los dones de los otros y apoyémonos unos a otros en las tareas que Dios nos ha dado. Somos como las células del cuerpo que hacen su trabajo y ayudan a otras células dondequiera y cuandoquiera existe una necesidad.

III. LA IGLESIA ES UNA IGLESIA SANTIFICADA

Hemos sido puestos aparte y hechos santos "para agradar al Señor". Y por eso somos comisionadsos para dar su Palabra. Pablo dijo: "¡Ay de mí si no predicare el evangelio!" Ezequiel dijo que era un profeta "atalaya", para advertir los peligros venideros. Isaías afirmó: "Heme aquí, envíame a mí." ¿Estamos listos para su comisión? Dios necesita de usted y de mí. El quiere que estemos disponibles para la tarea de contar las buenas nuevas de Jesucristo.

Somos apartados, o santificados, o comprometidos al señorío de Cristo. El músico Mendelssohn visitó una catedral cierto día. Pidió al organista que le dejara tocar. Al principio, el organista no quiso que lo hiciera. Después de algunos minutos, permitió al visitante la oportunidad de "tratar". El gran músico comenzó a tocar y el lugar se llenó con la música del maestro. El hombre preguntó: "¿Quién es usted?" La respuesta fue: "Yo soy Mendelssohn". El organista musitó: "¡Y pensar que casi no le permito tocar!"

Dios quiere que su iglesia sea la Iglesia. Somos su pueblo unido, diversificado y santificado. El pueblo de Dios será verdaderamente la iglesia que Dios quiere que seamos cuando dejemos a Cristo reinar como el Señor y el Cristo. El quiere entrar en pleno control de su cuerpo, la iglesia. Todos hemos de "suspirar" como nunca lo hemos hecho por la música y el mensaje que Jesús producirá en y por medio nuestro cuando la iglesia sea la Iglesia.

DATOS PARA EL ARCHIVO:

Fecha:_____

Ocasión:_____

Lugar:_____

46

¿POR QUE VINO CRISTO?

Pero cuando vino el cumplimiento del tiempo, Dios envió a su Hijo, nacido de mujer y nacido bajo la ley, para que redimiese a los que estaban bajo la ley, a fin de que recibiésemos la adopción de hijos — Gálatas 4:4, 5.

La época más ampliamente celebrada del año es la Navidad. Esta época significa muchas cosas para mucha gente. El mundo de los negocios sonríe durante esta etapa de fiestas debido a las grandes ventas que anticipan tener. El personal de las escuelas siente una liberación de las tensiones y dificultades que a veces los asaltan. Para muchas familias la época de diciembre significa celebración, reunión, cantos y risas. Para algunos, esta época del año puede significar como fiestas, placer y pasiones desenfrenadas.

El significado verdadero de la Navidad es que Cristo ha venido. La Biblia dice: ". . . cuando vino el cumplimiento del tiempo, Dios envió a su Hijo. . ." La paz romana, los ejércitos, los caminos que cubrían el mundo conocido, y un lenguaje universal, llegaron a ser una parte de esta "plenitud del tiempo". En el momento justo de la historia, vino Jesús. Nació de la virgen María sin un padre humano. Fue concebido divinamente y aquel nacido de María fue del Espíritu Santo. Nació el Hijo de Dios. Llegó a ser un hombre, el Dios-hombre —verdaderamente Dios y verdaderamente hombre. Ese es el milagro de la Navidad. Jesús fue Dios en carne humana. Dejó el cielo para vivir sobre la tierra. ¿Por qué vino?

I. JESUS VINO PARA REVELAR A DIOS

Los hombres siempre han tenido el anhelo de conocer a Dios, saber acerca de él, entenderlo. Cristo vino para revelar al Padre, para hacer una "exégesis" de él, para hacerle conocer. Jesús dijo a Felipe, ante su pregunta: "El que me ha visto a mí, ha visto al Padre" (Juan 14:9). Jesús revela a Dios.

1. Jesús Revela a Dios en Su Amor Infinito. La intensidad del amor de Dios no puede medirse ni ser comprendida por la humanidad. Pero Jesús ha venido para decirnos: "Dios te ama."

Milton Cunningham, que fue misionero en Africa, dice que él y un pastor nacional viajaron juntos cruzando el país cierto día. Cuando pasaban por una pequeña villa, vieron al cacique de la villa que estaba sentado sobre el terreno. Pararon para hablar con él. El cacique comenzó a contar al misionero y al pastor nacional en cuanto a los dioses que él tenía a su alrededor. Cuando el cacique terminó finalmente su relato, les preguntó si ellos tenían un "dios". Milton Cunningham le habló al cacique acerca del Dios eterno que un día envió a su Hijo único a la tierra, y que Jesús había dado su vida por cada persona. Cuando finalizó su relato, el cacique tenía lágrimas surcando por su rostro, y dijo: "Yo siempre supe que había un Dios, pero nunca supe hasta ahora que este Dios me ama."

Necesitamos comprender que Dios nos ama. Sí, él es el Señor del juicio y de la ira. Debemos responderle por lo que hacemos con la vida. Pero Dios quiere que le recibamos como Padre y le conozcamos como el Señor del amor.

2. Jesús Nos Revela a Dios en Su Poder Asombroso. No seamos sordos y ciegos a las Escrituras que nos recuerdan una y otra vez que Dios es poderoso. Nada es imposible para él. El es soberano. El es el creador. El es infinito en poder.

Lea los Salmos y note las veces que el escritor habla o escribe del poder glorioso de Dios. Observe a Dios en acción a través de la historia. El no es anémico. El no necesita correr a una botella de vitamina B-12 y tomar algunas cápsulas para rejuvenecer su fortaleza. El nunca se cansa. Jesús revela a Dios como el Dios de fortaleza y poder ilimitados.

Jesús calmó las tormentas en el mar. El echó a las fuerzas demoníacas de los seres humanos. El resucitó a los muertos y sanó a los enfermos. El salió de la tumba después de la crucifixión para mostrar que nuestro Dios es el Señor todopoderoso del universo. El quiere mostrar su poder en nosotros por salvarnos, sustentarnos y asegurarnos la vida consigo mismo. El hará esto cuando recibamos su Palabra por la fe.

3. Jesús Revela a Dios en Su Sabiduría Infinita. El es el Señor que comprende nuestras heridas, necesidades y temores. Conoce todo en cuanto a nosotros. La Biblia afirma que nada está escondido de él. Ese "nada" significa ninguna cosa. Ni una simple cosa solitaria —ni una idea de nuestras mentes, ni evento de nuestras vidas— sucede sin el conocimiento de Dios de ello. Dios conoce en cuanto a la condición perdida del hombre, su peligro, sus malas intenciones y su potencial en Cristo. Dios conoce todo.

Todo lo que necesitamos conocer en cuanto a Dios el Padre lo podemos ver en Dios el Hijo. Jesús ha venido para revelar a Dios y hacer que lo conozcamos en incontables maneras. Jesús es el gran revelador.

II. JESUS VINO PARA REDIMIR AL HOMBRE

El texto de la Escritura declara muy directamente: "Dios envió a su Hijo, nacido de mujer (¡no de un hombre!)... para que redimiese a los que estaban bajo la ley." La culpa había sido escrita en todo el corazón del hombre. La creación de Dios había llegado a corromperse por el pecado. El había escuchado la voz de la serpiente. Satanás había engañado al hombre. Cristo vino para redimir a la humanidad de la maldición y corrupción del pecado.

El hombre necesita liberación y redención del pecado. La buena nueva del evangelio es que Cristo vino para este propósito redentor. Cuando José no sabía qué hacer antes del nacimiento de Jesús, un ángel le anunció: "Llamarás su nombre JESUS, porque él salvará a su pueblo de sus pecados" (Mateo 1:21). Fuera, en las colinas de Judea, una noche un ángel anunció a los atemorizados pastores: "Os ha nacido hoy, en la ciudad de David, un Salvador, que es CRISTO el Señor" (Lucas 2:11). Durante su ministerio, Jesús dijo: "Porque el Hijo del Hombre vino a buscar y a salvar lo que se había perdido" (Lucas 19:10).

El hombre es un pecador. El se rebela contra Dios. Trata de desmantelar el trono de Dios y reemplazar al Señor del universo con su propio ego exaltado. El hombre se infla con orgullo. El sigue su propio camino. La humanidad se hunde más y más en el pantano y el cieno de la impiedad. Aparte de Cristo, el hombre está perdido y sin esperanzas. ¡Está condenado! Cristo vino para redimir al hombre de su condición de iniquidad, rebelión y ceguera.

Mucha gente en esta época del año necesita escuchar nuevamente esta maravillosa historia de la salvación en Jesucristo. El vino para que pudiéramos ser liberados del pecado.

El hombre necesita conocer la redención en Cristo de modo que él pueda realmente servir a Dios y a la humanidad. Cuando recibimos la vida de Cristo, entonces podemos comenzar a servir a Dios. Jesús nos lleva a una relación con el Padre, y llegamos a ser miembros de su familia. Luego podemos ir a trabajar para él. En este punto podemos entender qué es el servicio a otros. La redención nos lleva a una relación de servicio con Dios y con la humanidad.

III. JESUS VINO PARA REINAR

En la plenitud del tiempo, vino Jesús. El vino para revelar a Dios. Vino para redimir al hombre. Cristo vino también para hacer conocer a la humanidad su señorío. ¡El es rey! ¡El es Señor! Aunque algunos dejan la venida de Cristo de lado como si no significara nada, él ha venido para salvar a toda la humanidad. "Yo soy el Señor y voy a reinar y reinar." ¿Qué significa su "reinado" sobre el hombre? Pablo habla acerca de esta gran verdad en la carta a los Gálatas. Jesús fue al cielo. Su presencia por medio de su Espíritu Santo es dentro del corazón de cada creyente, de modo que Cristo pueda reinar y hacer una gran diferencia en la vida.

Cuando Cristo reina y gobierna como Señor, el amor llega a ser real en la vida. Esto no significa un viaje, emocional sentimental y de corta duración. El fruto del Espíritu es "amor". Es el amor *agape* real, no las pasiones eróticas de la vida. El odio termina. La guerra y la lucha van a la tumba cuando entra el amor. Cristo quiere gobernar sobre nuestros corazones de modo que su amor prevalezca.

Cuando Cristo reina, podemos tener gozo. La época de la Navidad se supone que sea un tiempo de gozo. Cristo quiere gobernar sobre la vida como Señor, de modo que el gozo permanente y completo pueda ser conocido por todos nosotros. El quiere que eliminemos el aburrimiento y la monotonía de lavar los platos. El quiere que quitemos el temor de ir a trabajar el próximo lunes por la mañana. Cristo tiene un gozo que llena aun los estudios con un nuevo sentido de propósito. Jesús ha venido para que tengamos un gozo que reemplazará cualquiera de los sedimentos amargos de la vida que mucha gente bebe. El da gozo.

Cuando Cristo reina, él da paz. "El fruto del Espíritu es paz." La paz de Dios puede llenar nuestros corazones. El Salvador dijo a sus seguidores, justo antes de la cruz: "La paz os dejo, mi paz os doy" (Juan 14:27). El Maestro puede dar calma y paz a todos los que le permitan ser el Señor de la vida.

Cristo ha venido para hacer una diferencia eterna en su vida y en la mía. El nos da una superabundante vida. ¡Recíbale y la conocerá!

DATOS PARA EL ARCHIVO:

Fecha:_____

Ocasión:_____

Lugar:_____

47

VIDA POR LA GRACIA DE DIOS

Porque por gracia sois salvos por medio de la fe. . . es don de Dios; no por obras. . . Porque somos hechura suya, creados en Cristo Jesús para buenas obras — Efesios 2:8-10.

¿Le gustaría tener la mejor vida ahora mismo? Usted se puede preguntar: "¿Qué clase de vida es esa?" Bueno, un niño de dos años puede pensar que la mejor vida es cuando él está sobre un caballito de madera que se balancea hacia atrás y adelante, y tiene una gran paleta roja en su boca y una gran sonrisa en sus labios. Un joven puede creer que la vida, la vida verdadera, es poseer un automóvil envidiable, dinero suficiente para pasar un fin de semana placentero, una chica hermosa con la cual salir, y no estudiar más por seis meses. La persona en la media vida puede sentir que la mejor vida es tener un buen sueldo, una buena casa, hijos que han terminado sus estudios, una gran lancha y mucho tiempo libre para cazar, pescar y navegar. Una pareja de ancianos puede simplemente anhelar tener comodidad y libertad del dolor, y amigos con los cuales conversar.

Pero, ¿qué es la vida verdadera? ¿No está nuestra vida en Jesucristo? ¿No es la vida verdadera aquella en la que la gracia de Dios opera dentro de nosotros? Por medio de su amor y misericordia, el Señor nos salva. Podemos tener vida por la gracia de Dios.

I. TENEMOS A JESUS POR LA GRACIA DE DIOS

Esto es lo que realmente es la salvación y la vida. Es estar unido a Jesús, quien es la vida. Por la gracia de Dios tenemos a Jesús. ¿Quién es él? Jesús nos libera del poder destructor del pecado. Habíamos estado en esclavitud a la naturaleza pecaminosa y al poder de Satanás. Sin embargo, en la gracia de un gran libertador, Dios viene hacia nosotros.

Las naciones entienden la liberación. Argentina ha tenido al general San Martín para liberarla del poder de España en el siglo pasado. España tenía sus grandes hombres para liberarla de sus opresores. Los negros en los Estados Unidos piensan en Abraham Lincoln como su libertador. Y cada país tiene sus héroes que han hecho tanto por ellos. Pero el Emancipador más grande que alguna persona conozca es Jesús. El nos libera del pecado. La gracia de Dios nos ha dado a Jesús el Emancipador.

Jesús es el Salvador. Por la gracia él ha venido para salvarnos del pecado. En Mateo 26:28, el Señor dijo: "Esto es mi sangre del nuevo pacto, que por muchos es derramada." ¡Qué precio él pagó por nuestra salvación! Y fue por la gracia de Dios que Cristo vino.

Jesús es nuestro Señor y nuestro Dios. Recordemos las palabras en el aposento alto, y en aquella noche de domingo. Tomás vio al Señor. Y aquel discípulo cayó a los pies del Maestro, diciendo: "¡Señor mío, y Dios mío!" Esto es lo que Jesús es. El es Dios en carne humana. El es el Señor de la gloria. Por medio de la gracia, amor y ternura de Dios, vino el Salvador.

Jesús es nuestro puente hacia Dios el Padre celestial. El dijo en Juan 14:6: "Yo soy el camino, y la verdad, y la vida; nadie viene al Padre, sino por mí." En este pasaje, Jesús pone el énfasis sobre sí mismo, diciendo en términos fuertes: "Yo soy el camino" —lo que significa: "No hay otro." El dice que nadie va al Padre sino por medio suyo. El es el camino. ¡No un camino, sino EL CAMINO! No podemos encontrar otro camino hacia Dios excepto por medio de su Hijo unigénito. Todo este es lenguaje fuerte y amenaza a todas las otras religiones del mundo. Pero Jesús no tiene desafiantes (realmente) en el campo de la fe. El es el único camino hacia Dios. Dios en su gracia nos ha invitado ir a él por medio de Jesús.

II. TENEMOS SALVACION POR LA GRACIA DE DIOS

El texto es muy claro: "Por gracia sois salvos." El texto realmente lee: "Por gracia sois salvos, habiendo sido salvados", o "por la gracia sois habiendo sido salvados". La expresión "sois salvos" es interesante. La primera palabra, "sois", está en el tiempo presente. "Salvos" es un participio presente, que literalmente significa "habiendo sido salvos y aun siendo salvos". El participio tiene el mismo significado del pasaje que afirma: "Lo que está escrito, está escrito." Además, es el tiempo en que se afirma la resurrección: "Ha resucitado", que significa literalmente: "Ha resucitado y permanece resucitado o vivo." Los profesores de griego llaman a esta formación en la gramática un perfecto perifrástico con el tiempo presente "sois" y con el tiempo perfecto "habiendo sido salvos y permaneciendo salvos". Esto significa gracia en su aplicación particular: la gracia de Dios en la reconciliación.

Esto significa una salvación aparte de las obras o del método de la ley. "No por obras, para que nadie se glorie." Si se pudiera hablar de ser salvo por las obras, Noé hablaría del arca, Abraham de su viaje desde Babilonia, Pablo de su pasado religioso y de su servicio antes de ser un cristiano, y todos tendrían su oportunidad de ser salvos por alguna obra en particular.

Esto significa una salvación que se recibe personalmente "por medio de la fe". Nuestra salvación es un asunto personal, que cada uno recibe por sí mismo. Pablo predicó en Filipos una noche y un carcelero rudo creyó en el mensaje. El y su familia llegaron a una fe personal e individual. Esa es la forma por la cual fue salvo un ladrón en la cruz. La salvación es por la gracia de Dios y se recibe personalmente.

Esto significa una salvación que ha de ser vivida en la experiencia diaria. "Somos hechura suya." Somos "obra" de Dios. Pablo nos dice en este pasaje que hemos de andar en "buenas obras". Esto significa "andar" en ellas. El Señor ha ordenado o planeado que vivamos y le honremos en buenas obras, que Dios hace posible para nosotros en la vida. En Hechos 10:38 se dice que Jesús "anduvo haciendo bienes". Ese es el estilo de vida de un creyente nacido de nuevo. Hemos de vivir de la forma en que él nos dejó ejemplo. Hemos de caminar en la clase de vida que Dios creó para nosotros.

Algunos pueden creer que es imposible andar en "buenas obras". Basados en nuestras propias fuerzas, la vida cristiana es imposible. Pero cuando recibimos a Cristo como nuestro Salvador, él nos da el Espíritu Santo que nos equipa y nos prepara con poder para vivir para Dios. Tenemos una salvación incomparable porque tenemos un Dios incomparable.

DATOS PARA EL ARCHIVO:

Fecha:_____

Ocasión:_____

Lugar:_____

48

EL PODER DE LA CRUZ

Y a vosotros, estando muertos en pecados y en la incircuncisión de vuestra carne, os dio vida juntamente con él, perdonándoos todos los pecados, anulando el acta de los decretos que había contra nosotros, que nos era contraria, quitándola de en medio y clavándola en la cruz, y despojando a los principados y a las potestades, los exhibió públicamente, triunfando sobre ellos en la cruz — Colosenses 2:13-15.

En el verano de 1945 dos bombas atómicas cayeron sobre dos ciudades japonesas, dejando a más de 200.000 personas muertas y los edificios disueltos como nieve al calor del sol. El poder de las armas nucleares de las naciones super poderosas atemoriza a cualquier persona de pensamiento serio. El potencial de todas las fuerzas militares en el mundo es realmente terrible. ¡Tenemos armas nucleares suficientes acumuladas hoy como para destruir nuestro mundo diez veces!

Pablo vivió en los días de poder y fortaleza. Estuvo bajo "arresto domiciliario" en Roma cuando escribió la carta a los Colosenses. Vio demostraciones de poder militar a su alrededor. En aquella época escribió acerca de un poder mucho más grande que cualquier poder que el hombre pudiera idear. El predicó y escribió acerca del poder de la cruz.

I. LA CRUZ TIENE EL PODER DE RESUCITAR AL PECADOR A LA VIDA

A nuestro alrededor están aquellos que están muertos espiritualmente. Cristo puede dar vida a todos los que están muertos en o "por medio de" su pecado. Estas son buenas nuevas. El texto de la Biblia indica que los pecadores son gente "dos veces muerta". Ellos están muertos por sus transgresiones o pecados. También están muertos debido a su naturaleza pecaminosa.

Jesús tiene el poder para resucitar a aquel que está muerto en sus transgresiones y pecados. El texto dice claramente: "Estando muertos en pecados." Esta es una realidad que nadie puede negar. Todos nosotros somos transgresores. Cometemos acciones que son pecaminosas. Engañamos, mentimos, robamos, asesinamos, tenemos malos pensamientos y nos rebelamos contra Dios en una u otra oportunidad. Por nuestras acciones, somos pecadores.

Una de las historias inolvidables contadas por Jesús (Lucas 15), es la del hijo pródigo. Después que demandó sus bienes y desperdició todo en una vida pecaminosa, volvió en sí y regresó a su casa. El padre dijo: "Este mi hijo muerto era, y ha revivido; se había perdido, y es hallado." Esa es la historia de todo hombre. Por nuestras rebeliones contra Dios, somos pecadores. Eso es lo que afirma Romanos 3:23.

La BUENA NUEVA del evangelio es que Jesús es capaz de reavivarnos o hacernos vivir porque él ha derramado su sangre para nuestra redención. Su RESURRECCION nos une a una vida nueva. "JUNTAMENTE CON EL" son palabras de seguridad. El quita el pecado. "PERDONANDOOS TODOS LOS PECADOS" son buenas noticias. Cada pecado puede ser eliminado cuando recibimos a Cristo como Salvador y Señor. Somos resucitados a la vida en Jesucristo —cuando confiamos en su muerte sustitutoria y su resurrección por nosotros. La cruz tiene el poder para traer nuevamente a la vida a los que están espiritualmente muertos.

II. LA CRUZ TIENE EL PODER PARA QUITAR EL PODER CONDENADOR DE LA LEY

La ley es santa, justa y buena. Pero nadie puede ser salvo por su intermedio. "Pues si por la ley fuese la justicia, entonces por demás murió Cristo" (Gálatas 2:21). La ley está en contra de nosotros, nos es contraria. Es como un animal que espera destrozar hasta la muerte a su presa. El poder condenador de la ley es aterrador.

La cruz anula las ordenanzas de la ley. Cuando Cristo fue a la cruz, él anuló la escritura de decretos en contra de nosotros. El cancela aquello que la ley y los decretos tenían contra nosotros. Así como un borrador que se usa para borrar o eliminar la escritura, Cristo borró la escritura de la ley que se oponía a nosotros.

La cruz quita los decretos de la ley. Cuando Cristo murió en la cruz, él crucificó y quitó los decretos que estaban en nuestra contra. El ha clavado la ley y los decretos que estaban en nuestra contra en aquella vieja y ruda cruz.

III. LA CRUZ TIENE EL PODER PARA DESTRUIR EL PODER DE SATANAS

El texto dice: "Y despojando a los principados y a las potestades..." Satanás y todas sus huestes han sido conquistados. Con seguridad, el diablo golpea hoy con males; sin embargo, la muerte de Cristo en la cruz es nuestra arma de victoria sobre este enemigo vil.

Martín Lutero cierta vez soñó que Satanás venía a él con una lista larga de pecados que este hombre había cometido. Martín Lutero confesó su culpa. Satanás hizo planes para reclamarlo. Entonces Lutero dijo: "Espera un minuto. La Biblia dice: 'La sangre de Jesucristo su Hijo nos limpia de todo pecado'" (1 Juan 1:7). Satanás supo entonces que él no podía tocar a Martín Lutero ni a ninguno de los santos de Dios comprados con sangre, quienes pueden reclamar la victoria en Cristo.

Jesús ha echado a perder la fortaleza de Satanás. Cristo ha quitado al enemigo su armadura. Así como David conquistó a Goliat, así Jesús ha conquistado a Satanás. ¡Ya no tenemos que temer a Satanás! En el nombre de Cristo tenemos victoria sobre este enemigo vicioso. Jesús ha conducido el triunfo sobre las fuerzas satánicas. Jesús es el Cristo conquistador. Y por su poder él es capaz de dar victoria y vida a todos los que confíen en él.

DATOS PARA EL ARCHIVO:

Fecha:_____

Ocasión:_____

Lugar:_____

49

ORACION SIN PARAR

Orad sin cesar — 1 Tesalonicenses 5:17.

No recuerdo haber orado nunca toda una noche. Eso es mucha oración. Sin embargo, leemos en Génesis 32 que Jacob pasó toda una noche luchando con un ángel en oración. Leemos también acerca de veintiún días de oración de Daniel en el capítulo 9 de su libro, en el cual aquel profeta buscó al Señor en oración, ayuno, cilicio y ceniza. La Biblia dice que Jesús pasó una noche entera solo en oración antes de llamar a los doce apóstoles.

En 1 Tesalonicenses 5:17, el apóstol Pablo pone delante de nosotros un gran desafío de oración. El no nos dice que oremos toda la noche ni por unas pocas horas. Más bien, dice: "Orad sin cesar." Nos preguntamos: ¿es posible algo así?

Considere el asunto de orar sin parar en esta manera. ¿Ha estado alguna vez enamorado? ¿Realmente enamorado? ¿Recuerda la primera vez que se enamoró de alguien? Sus pensamientos quedaban con esa persona. Si iba caminando, o se sentaba en un aula de clase, se despertaba a las tres de la mañana, o hacía su trabajo regular, sus pensamientos eran absorbidos por aquella persona que se había convertido en el centro de su vida. En una manera semejante, el apóstol Pablo quiere decir que nuestra actitud y pensamientos deben ser dirigidos hacia Dios. Sea que estemos comiendo, durmiendo, trabajando o jugando, todavía podemos orar sin cesar. Necesitamos desarrollar este hábito espiritual.

I. DEBEMOS ORAR POR NUESTRO PAIS

Nos tomaría mucho tiempo orar por nuestra nación. Pablo dice que debemos hacerlo. Podemos orar por nuestros líderes nacionales. La Biblia dice que debemos orar "por los reyes y por todos los que están en eminencia" (1 Timoteo 2:2). Aquello se refería a Nerón y a sus ayudantes. Si seguimos este ideal, debemos orar por el presidente, su gabinete, los jueces, el congreso, los gobernantes estatales y los oficiales municipales. Podemos orar por las necesidades nacionales. Pueden ser muchas: inflación, huelgas, hambre, falta de trabajo, enfermedades, educación, y mucho más. Necesitamos orar por nuestra nación —sin cesar, oración sin parar.

II. DEBEMOS ORAR POR NUESTRA IGLESIA

Necesitamos orar para que Dios nos dé su poder y gloria para el trabajo que tenemos que hacer. ¿No sería grandioso tener una reunión de oración de diez días en cada iglesia? Esto es lo que sucedió antes de Pentecostés. Alrededor de 120 personas se reunieron en oración durante diez días y noches. El día de Pentecostés irrumpió como un día que hizo historia. Pentecostés no se repetirá, así como el Calvario no se repetirá. Ese evento ocurrió cincuenta días después de la resurrección de Jesús, cuando Dios dio el don del Espíritu Santo para estar con nosotros para siempre. Sin embargo, necesitamos orar para que conozcamos nuevamente el poder, la gloria y la plenitud de su presencia. Necesitamos renovación y avivamiento.

Podemos orar para que Dios llame obreros para su iglesia. Eso fue lo que sucedió en Antioquía. Bernabé trajo a Pablo para ayudarle en el crecimiento de la iglesia en Antioquía de Siria. Cuando la iglesia continuó orando, el Espíritu Santo dijo: "Apartadme a Bernabé y a Saulo para la obra a que los he llamado" (Hechos 13:2). Pidamos a Dios y él nos dará obreros.

III. DEBEMOS ORAR POR LAS NECESIDADES PERSONALES

Mucha de nuestra oración es "errabunda". Necesitamos ser específicos. Si alguien se enamora, dice a su novia: "Querida, te amo. ¿Quieres casarte conmigo?" Ella dice: "¡He estado seis meses esperando que me hicieras esa pregunta!" Si un niño de tres años tiene hambre o sed, dice: "¡Tengo hambre... tengo sed!" La gramática puede no ser perfecta, pero es definida y clara. Necesitamos hacer pedidos específicos en oración por nuestras necesidades personales.

Podemos orar por la comida diaria. Jesús nos enseñó a orar en esa manera. Continuamente y sin parar, debemos descansar en Dios en cuanto a nuestras necesidades diarias. Aun con los refrigeradores, grandes empresas comerciales de comida y cadenas de supermercados, aún necesitamos saber que no podemos lograrlo sin Dios. Pero a veces llegamos hasta el punto de no orar y no descansar en él.

Podemos orar por un avivamiento espiritual. El es capaz de reavivarnos y renovarnos. El quiere hacerlo. La oración es la clave para la renovación personal. El texto dice: "Orad sin cesar." No estemos contentos con una vida de oración barata. ¿Estamos preparados para esta clase de oración, sin parar?

DATOS PARA EL ARCHIVO:

Fecha:_____

Ocasión:_____

Lugar:_____

50

COMO CRECER
COMO CRISTIANO

Antes bien, creced en la gracia y el conocimiento de nuestro Señor y Salvador Jesucristo. A él sea gloria ahora y hasta el día de la eternidad — 2 Pedro 3:18.

El escritor inglés Jonathan Swift nos cuenta acerca de un hombre pequeño de sólo quince centímetros de altura, en su relato de ficción para niños titulado *Los viajes de Gulliver*. El relato de aventuras dice que Gulliver viajó a las islas del sur del Pacífico después de su graduación en Cambridge. Una terrible tormenta hace que el barco naufrague en la costa rocosa de una isla. Todos se ahogaron, salvo Lemuel Gulliver, quien se las arregló para llegar a la costa. Quedó dormido por el cansancio. Cuando despertó, descubrió que había sido atado al terreno y estaba rodeado por hombres pequeñitos llamados Liliputienses, de sólo quince centímetros de altura.

Por supuesto, nunca hemos encontrado hombres que son tan pequeños físicamente. Pero todos nosotros hemos visto enanos espirituales. Alguna gente no tiene mucha paciencia, amor y compasión. Si nos detenemos a graduar a la gente de acuerdo con la edad y medidas espirituales acostumbradas, nuestros departamentos de Cuna y Preescolares tendrían muchos adultos jugando con muñecas y bloques. El crecimiento espiritual debe ocurrir en las vidas de todos nosotros. Pedro nos habla de esta verdad en 2 Pedro 3:18.

Generalmente tenemos dos ideas falsas en cuanto al crecimiento espiritual. Una es que el crecimiento espiritual es instantáneo. Hay personas que al chasquido de dos dedos desean convertirse en gigantes espirituales.

Bueno, la verdad es que así como toma un largo tiempo que crezcamos física y mentalmente, así también requiere tiempo el hacerlo espiritualmente. No es una experiencia "de la noche a la mañana". La segunda idea es que algunos tienen el concepto equivocado de que el crecimiento es imposible para ellos. ¡Podemos crecer! Veamos cómo puede ocurrir el crecimiento.

I. VIVA EN UN AMBIENTE ESPIRITUAL, Y OCURRIRA EL CRECIMIENTO

Hay gente que vive en ciudades industriales y algunos viven en lugares desiertos. Físicamente, los lugares que habitamos pueden no ser el mejor ambiente del mundo. No podemos cambiar demasiado el aire que respiramos, pero tenemos mucho que decir acerca de nuestro ambiente espiritual.

1. Un Ambiente de Alabanza. El ambiente de alabanza es un aire maravilloso para el crecimiento espiritual. Simón Pedro habla en cuanto a esto en el primer capítulo de su primera carta. El brinda estas palabras hermosas de alabanza, al decir: "Bendito el Dios y Padre de nuestro Señor Jesucristo" (1 Pedro 1:3). En el Salmo 103:1 se dice: "Bendice, alma mía, a Jehová; Y bendiga todo mi ser su santo nombre." Considere también el último libro de la Biblia y vea cómo las huestes celestiales alaban continuamente al Señor. El crecimiento ocurre cuando estamos en este "aire de alabanza".

2. El Ambiente de Gozo. El ambiente de gozo hace posible el crecimiento espiritual. En Hechos se nos cuenta del regocijo de Pedro y de Juan ¡antes de que los azotaran! La atmósfera de gozo es esencial para el crecimiento. En Juan 15:11 se nos habla acerca de la plenitud del gozo de Cristo en nosotros: un gozo que rebosa, un gozo santo, un gozo que cambia la vida. El gozo es necesario para el crecimiento mental sano de un niño, y es necesario que nosotros estemos dentro del marco de alabanza y gozo para que ocurra el crecimiento.

3. El Ambiente de Santidad. El ambiente de justicia es una ayuda superior para el crecimiento espiritual. No crecemos espiritualmente si hacemos como Simón Pedro en cierta ocasión, y nos calentamos en el fuego del enemigo. Esa es la razón por la que debemos estar en la iglesia con el pueblo de Dios cada vez que la iglesia se reúne.

II. HAGA MUCHO USO DE LA BIBLIA Y OCURRIRA EL CRECIMIENTO

Recordemos las palabras de Pedro en 1 Pedro 2:2, 3. El dice: "Desead, como niños recién nacidos, la leche espiritual no adulterada, para que por ella crezcáis para salvación." Debemos tener sed de Dios. No destruyamos aquello que nos es benéfico en la vida. Al mismo tiempo, recordemos que la causa de Cristo debe ser primero. Necesitamos tener una sed de Dios, la que viene por medio de su Palabra.

Lea el Salmo 1 y vea cómo está allí la promesa de crecimiento. Debemos deleitarnos en la Palabra de Dios. ¿Sabe lo que significa la palabra "deleite"? ¿Siente su gusto "deleitado" ante su postre favorito, o todo su cuerpo rejuvenecido por la vista placentera de la costa del mar? Bueno, el alma puede hallar "deleite" en el Libro Santo. ¿Quiere crecer? Aquí está. Llegaremos a ser como un árbol plantado junto a corrientes de agua cuando absorbamos el mensaje de la Biblia. ¡La Palabra de Dios produce crecimiento!

III. DEBEMOS ENFATIZAR LA IMPORTANCIA DE LA ORACION PARA EL CRECIMIENTO ESPIRITUAL

Recordemos aquellas veces cuando Pedro se fue a dormir en las largas reuniones de oración. Se durmió en el monte de la transfiguración cuando Jesús estaba en comunión con su Padre celestial. El y los otros se durmieron en el huerto de Getsemaní cuando Jesús oró tres veces. Nosotros también necesitamos estar despiertos en la oración.

La etapa de la expansión de la iglesia primitiva llegó cuando los cristianos oraron. Unos 120 creyentes oraron en el aposento alto por diez días antes de Pentecostés. Podemos ser más fuertes si pasamos más tiempo en oración. La mayoría de nosotros pasamos más de diez minutos cada día leyendo el periódico, escuchando la radio o viendo la televisión. Y nos las arreglamos para tomarnos ese tiempo para nosotros. Tomamos el tiempo suficiente para llegar a trabajar. Digamos, ¿hemos pensado en dejar unos pocos minutos cada día para hablar con nuestro Padre celestial? Si queremos crecer más como nuestro Maestro, debemos pasar más tiempo con él en oración. Necesitamos hacer un nuevo compromiso para orar más cada día.

IV. CRECEREMOS ESPIRITUALMENTE SI COMPARTIMOS NUESTRA FE

Hay dos grandes experiencias en el Antiguo Testamento de "compartir la fe" que pueden desafiarnos. La historia de 2 Reyes 5 cuenta de una jovencita que ayudó a llevar la noticia a Naamán acerca del hombre de Dios que podía permitirle ser sano de su lepra. Otra experiencia es la que leemos en 2 Reyes 7:9. Cuatro leprosos encontraron que el enemigo se había retirado delante de ellos, dejando su comida y sus enseres. Los cuatro hombres corrieron a decir a la gente que moría de hambre acerca de la abundancia que estaba cerca. Ellos tenían "buenas noticias" para contar. Cuando contemos a otros acerca de las buenas nuevas del evangelio, comenzaremos a crecer.

Podemos crecer cuando nos pongamos en un ambiente espiritual de alabanza, gozo y pureza. Luego podemos probar más profundamente en la Palabra de Dios y en la experiencia de la oración. Además, tenemos que contar a otros lo que Jesús ha hecho por nosotros. El resultado de ello será que nadie podrá decir: "¡Allí va un Liliputiense!" No, seremos jóvenes robustos y mujeres, niños y adultos para Cristo. ¡Podemos crecer!

DATOS PARA EL ARCHIVO:
Fecha: *11 - 06 - 2022*
Ocasión:_____
Lugar:_____

51
EL DOBLE MANDATO DE CRISTO

Y este es su mandamiento: Que creamos en el nombre de su Hijo Jesucristo, y nos amemos unos a otros como nos lo ha mandado — 1 Juan 3:23.

Al final de la guerra revolucionaria en Estados Unidos, hubo un banquete en honor de los oficiales franceses y norteamericanos. Un oficial francés se sentó al lado de la madre de George Washington, y le preguntó: "¿Cómo hizo para criar a un hijo tan espléndido?" Ella respondió: "Le enseñé a obedecer."

Jesús quiere que le obedezcamos. El quiere que ejecutemos sus órdenes. Aquellos mandamientos de Jesús no son duros. Ellos no nos disminuyen, sino que nos ayudan. Sus mandamientos no son gravosos ni difíciles de entender. Básicamente, los mandatos de Jesús son simples y claros. En el texto en 1 Juan 3:23 leemos acerca de dos de aquellos mandamientos. Hemos de creer en él y hemos de amarnos unos a otros. Realmente, esta es la esencia de la vida cristiana: creer y amar. El mandato de Cristo es doble. Este es un mandato simple, pero completo.

I. HEMOS DE CREER EN JESUS

1. Porque El Murió por Nosotros. Oímos esta verdad a menudo. Jesús vino para dar su vida por nosotros o en nuestro lugar. Durante su ministerio, Jesús dijo: "Nadie tiene mayor amor que este, que uno ponga su vida por sus amigos" (Juan 15:13). Eso es precisamente lo que hizo Jesús cuando fue a la cruz. El murió por nosotros. Dado que él agonizó y pagó el precio por nuestra salvación, ¿no debemos confiar en él? Debemos creer en Jesús, quien dio su vida por nosotros.

2. Porque El Era y Es Divino. El es Dios en carne humana. Hemos de creer en Jesús, porque él era y es divino. Todo aquello que es Dios el Padre, eso es Jesús. "La plenitud de Dios estaba en él." El no es un hombre ordinario. Es el Mesías, el ungido de Dios. Toda la misericordia, amor, majestad, poder, sabiduría y santidad del Padre están en su Hijo unigénito. El es Dios el Hijo. ¡Por ello, crea en él! Es posible aproximarse a Jesús. Podemos ir a él. ¡Podemos tener compañerismo con él! Podemos conocerle. Por ello, hemos de creer en él. Porque él es más amable y podemos acercarnos a él de una forma que ninguno de nosotros ha conocido.

3. Porque Es la Solución para la Muerte. Necesitamos creer en Jesús, porque la alternativa es la muerte. Rehusar hacerlo o rechazarlo es enfrentar el infierno eterno y la separación de Dios. Juan 3:36 afirma: "El que cree en el Hijo tiene vida eterna; pero el que rehusa creer en el Hijo no verá la vida, sino que la ira de Dios está sobre él."

II. HEMOS DE AMARNOS UNOS A OTROS

Este es el amor *agape* o sea el amor más elevado y santo. Juan dice que hemos de amarnos con ese amor unos a otros. El usó el pronombre "nosotros". Cada cristiano ha de amar a todos los demás. Veamos por qué debemos amarnos unos a otros. El valor infinito de una persona hace imperativo que nos amemos. Jesús pregunta: "¿Qué aprovechará al hombre, si ganare todo el mundo, y perdiere su alma?" El valor de un prójimo quiebra todos los límites de comprensión. El valor de toda persona debe motivarnos también a amarles y dirigirles hacia el Salvador. El mensaje de Dios es que nos amemos unos a otros.

Hemos de amarnos unos a otros porque el amor transforma la vida de aquel que es amado. Trátelo algún día y verá los resultados.

Se dice que Rusia hizo un experimento cruel con unos 100 niños recién nacidos. Las enfermeras no les hablaban ni mostraban cariño. Esos niños recibieron comida y otras cosas necesarias para apoyarles. Pero sin mostrarles amor, noventa de los 100 niños murieron en el primer año de su vida, y los otros tuvieron profundos problemas emocionales que arruinaron sus vidas. La falta de amor destruye la vida. El amor puede construirla.

Amemos a otros porque somos miembros del mismo cuerpo. Somos hermanos. Cuando amamos manifestamos la semejanza del cuerpo de Cristo. El amó a toda la gente. Lea los Evangelios y note toda la gente hacia la cual Cristo mostró su amor. Innumerables personas fueron los receptores de su amor. Cuando tenemos un amor santo los unos por los otros llegamos a ser como Jesús.

Un soldado en el ejército nunca pensaría en desobedecer las órdenes de un general. Un estudiante debe obedecer las órdenes del maestro. ¡Es mucho más importante obedecer los mandatos de Jesús! Examine su corazón. ¿Cuánto creemos en él? ¿Cuán genuino es nuestro amor los unos por los otros? Cumplimos su mandato cuando creemos en él y cuando nos amamos los unos a los otros.

DATOS PARA EL ARCHIVO:

Fecha:_____

Ocasión:_____

Lugar:_____

52

EL CIELO: UN LUGAR MARAVILLOSO

Vi un cielo nuevo y una tierra nueva. . . Enjugará Dios toda lágrima de los ojos de ellos — Apocalipsis 21:1-4.

Una película moderna sobre Marco Polo nos ha dado un mayor conocimiento en cuanto al mundo magnífico de este viajero y explorador, tanto como del mismo Marco Polo (1254-1324). Desde su ciudad natal de Venecia, Italia, Marco Polo viajó mayormente por tierra hasta China e India. En sus escritos, habló de Persia, Japón, Zanzibar en Africa del este, la Tierra Santa y los muchos esplendores del Oriente. Se quedó asombrado por la gente y los pueblos que visitó. Justo antes de morir, Marco Polo fue urgido por los poderes político- religiosos a que negara las historias que había contado acerca de China y del Lejano Oriente. El rehusó hacerlo, diciendo: "¡No he dicho ni la mitad de lo que he visto!"

La Biblia nos habla mucho acerca del cielo. ¿Es cierto? ¿Es gloriosa la vida futura? ¿Hemos de vivir para siempre? Sabemos que la respuesta es "Sí". Se puede describir al cielo en términos de vida eterna, gloria, la presencia de Dios, salvación y mucho más. Sin embargo, todo esto no es sino la "punta del 'iceberg'" de todo lo que Dios tiene para su pueblo. El cielo es maravilloso. ¿Cómo es?

I. EL CIELO ES UN LUGAR DE EXCEPCIONES

Muchas de las experiencias comunes y aceptadas que tenemos hoy serán extrañas o ajenas en el cielo. No las conoceremos "allá arriba". Estaremos exentos de los males de la vida que los hombres enfrentamos hoy. Consideremos algunas de las excepciones en el cielo.

1. Estaremos Exentos de Todo Sufrimiento. La mayoría de nosotros entendemos lo que significa tener un dolor de cabeza o un malestar estomacal. Todas las madres conocen el significado de la "Caída" de la raza humana, que les hace tener sus hijos "con dolor" (Génesis 3). Tomamos remedios muy caros a fin de aliviar algunas de las enfermedades corporales que vienen a nuestra vida. La Biblia dice que "gemimos dentro de nosotros mismos, esperando la adopción, la redención de nuestro cuerpo" (Romanos 8:23). Vivimos en una casa terrenal que está sujeta a todas las enfermedades que ha heredado la carne. Y las buenas noticias del evangelio son que el cielo excluirá todos esos dolores. No tendremos cuerpos incapacitados ni deformados en el cielo. ¡Seremos siempre sanos! Tendremos un cuerpo adaptado a las necesidades eternas.

2. Estaremos Exentos de un Mal Ambiente. El diablo está vivo, pero no está bien, sobre la tierra. Para usar la frase del doctor Curtis Vaughan, un estimado maestro, ha sido "herido de muerte". Pero un enemigo herido y moribundo puede hacernos mucho daño. Y el diablo ha hecho un gran trabajo poniéndose en la posición de hacer todo el mal que puede en el mundo y a la humanidad. ¿Creemos esto? Considere nuestras ciudades armadas. Considere los raptos y el abuso de niños. Piense en el consumo de bebidas alcohólicas. La cantidad promedio de cerveza que se consume por persona es incontable. Las drogas, el sexo ilícito, la pornografía, el odio que existe, el rechazo de Cristo: todo esto muestra que vivimos en una era de maldad. Pero el cielo es perfecto.

3. Estaremos Exentos de Desilusiones. Aquí tenemos mucho de ello. El apóstol Juan conocía la agonía del destierro en la isla de Patmos. El apóstol Pablo sintió el filo agudo de la desilusión cuando muchos rechazaron su evangelio. Aun un hombre grande como Moisés conoció la agonía de la desilusión. Recordemos que Dios se tomó muchos años para preparar a ese siervo para su tarea. Sin embargo, Moisés murió antes de llegar a la tierra prometida. Tenemos desilusiones con nuestras familias, con nosotros mismos, con nuestras iglesias y con nuestros trabajos. A menudo derramamos lágrimas por los fracasos y heridas de la vida. Pero en el cielo no tendremos días de desilusión.

4. En el Cielo Estaremos Exentos de Guerras. Las páginas de la historia están repletas con eventos de guerra extraños y aterradores. Cada país tiene sus heridas de batalla. Una de las guerras fuera de lo común en la historia ha sido llamada "las cruzadas". Estas guerras ocurrieron cuando unos pocos países europeos trataron de tomar Jerusalén y la Tierra Santa de los musulmanes que habían conquistado el lugar. Esas guerras, o "cruzadas", duraron desde 1095 hasta 1271, poco menos de 200 años. En 1212 comenzó la "Cruzada de los niños" contra los musulmanes. Miles de niños fueron arrojados a la batalla desde muchas naciones de Europa. Muchos de esos niños murieron antes de llegar a los campos de batalla. Pero en el cielo no habrá guerra. ¡Nunca! ¡Nunca! Todo aquello que derrama la sangre de los hombres y deja las ciudades en disolución y ruina se irá para siempre. ¡Para siempre! El Antiguo y el Nuevo Testamentos hablan de esta era sin guerras.

II. EL CIELO ES UN LUGAR DE ENTUSIASMO

1. Estaremos Entusiasmados Acerca de un Lugar Permanente de Descanso. Algún día encontraremos descanso en la tierra de gloria eternal de Dios. En Juan 14:1-3 tenemos un pasaje bien conocido en el cual Jesús habló acerca del cielo. Lo que el mundo ha anhelado continuamente es encontrar aquello que sólo será conocido en el cielo. Dios tiene un lugar real para su pueblo.

2. Estaremos Entusiasmados Acerca de Nuestro Nuevo Cuerpo. ¿Nuevos cuerpos? Sí, Jesús dice en Juan 5:28 que un día, al sonido de su voz, "los que están en los sepulcros oirán su voz", y todos los cuerpos serán resucitados. Los redimidos estarán con él. Los cuerpos serán como su cuerpo glorificado e inmortal. Las palabras que Benjamín Franklin había ordenado que estuvieran en su tumba son adecuadas para cada cristiano. Estas son esas palabras: "El cuerpo de Franklin, impresor, como las cubiertas de un viejo libro, descansan aquí —y sin embargo la obra misma no se perderá, porque aparecerá una vez más en una edición nueva y más hermosa, corregida y enmendada por el Autor." No se preocupe en cuanto a sus anteojos en aquel mundo. No se preocupe por las cavidades dentales. No se preocupe por la artritis. No se preocupe por el reumatismo y los trasplantes de corazón. Nuestros cuerpos van a ser resucitados en una manera sobrenatural y milagrosa, y serán cambiados en la manera en que Dios quiere que estén. ¡Qué cuerpos gloriosos vamos a tener!

3. Estaremos Entusiasmados por Nuestro Compañerismo en el Cielo. Jesús dice que "estaremos sentados con Abraham, Isaac y Jacob". Conoceremos a todos ellos. También conoceremos a Moisés, Abraham, Pedro, Pablo, los abuelos que no hemos conocido y a nuevos amigos que no hemos visto, de todo el mundo. Ese compañerismo será a un nivel elevado, porque será eterno. Tendremos vida siempre con el Señor. El cielo ha de ser un lugar de entusiasmo debido a la comunión gloriosa con el Señor y con su pueblo.

4. Estaremos Entusiasmados Acerca de una Creación Renovada. Dios va a renovar todo el universo. Lea en cuanto a esto en 2 Pedro. El nos dio una "tierra renovada" después del diluvio. Dios castigará al mundo algún día con fuego, y seremos puros por la eternidad, y estaremos aquí sobre una tierra que será renovada, y quizá tendremos entonces la libertad de "explorar el universo".

¡No me perdería el cielo ni por un millón ni un billón de dólares! Cada persona puede ir junto a todos los redimidos a la tierra eternal de Dios, por recibir a Cristo en su corazón como Señor y Maestro.